Le corps déjoué

Figures du théâtre de Larry Tremblay

D/2008/5438/665   ISBN : 978-2-87282-664-3

Sous la direction de
Gilbert DAVID

Le corps déjoué

Figures du théâtre de Larry TREMBLAY

- Lansman Editeur -

TABLE DES MATIÈRES

Une dramaturgie de la surmodernité

Gilbert DAVID

Mais peut-être, en ce moment, n'est-ce pas moi qui parle, plutôt quelque autre créature dans l'âme de laquelle je vis.

John Keats,
Lettre à John Woodhouse, 27 octobre 1818

Le pouvoir qui s'impose à un être est le pouvoir qui préside à l'émergence même de cet être ; il n'existe apparemment aucune échappatoire à cette ambivalence. De fait, il semble qu'il ne puisse y avoir d'"être" sans ambivalence.

Judith Butler[1]

Auteur inclassable qui pratique avec un égal bonheur la prose narrative, l'essai, la poésie et l'écriture dramatique, Larry Tremblay n'a eu de cesse de déplier des jeux de langage depuis une vingtaine d'années. De sa toute première pièce, *Le déclic du destin* (Leméac, 1989), à sa plus récente, *Abraham Lincoln va au théâtre* (Lansman, 2008), en passant par *The Dragonfly of Chicoutimi* (Les herbes rouges, 1996[2]), le dramaturge québécois explore les leurres, les dérives et les effondrements de la subjectivité – ou encore, dans une autre perspective, les conséquences de ce que le philosophe Paul Ricœur désigne comme "l'énigme du tenir-pour-vrai".

Le projet d'organiser un Atelier sur le théâtre de Larry Tremblay[3] – dont résulte le présent ouvrage – est né d'une question omniprésente chez l'auteur de *Le problème avec moi* (Lansman, 2007) : qu'en est-il du *sujet* en tant que *fiction* ? Et comment, du coup, un être fictionnel s'y prend-il pour se déprendre des normes incorporées, des injonctions à taire sa différence, des mots d'ordre – toutes formes d'interpellation qui, d'après Judith Butler, débouchent, dans le cas d'un être réel, sur un "redoublement fictif" ? En fait, cette question recoupe le vécu anthropologique de notre époque, dominée par la logique de l'excès, propre à la *surmodernité*, si l'on en croit Marc Augé[4]. À cet égard, la dramaturgie de Larry Tremblay présente un lieu sensible d'explorations des nouvelles réalités psychiques que l'on pourrait, en pastichant Deleuze, appeler le "devenir-vertige" de l'être humain[5]. D'où l'attention apportée dans ce recueil d'essais d'une part, au statut du personnage dans cette dramaturgie des transfigurations[6] et, d'autre part, à la poétique de l'écriture dramaturgique de Larry Tremblay. Pour ce faire, il a semblé plus fécond de concentrer les travaux sur deux productions récentes de l'auteur, tout en ménageant une place significative à la parole des praticiens qui ont fréquenté son œuvre et à des études plus englobantes, sinon transversales.

Deux cas de figure : *Le ventriloque* et *La hache*

Le ventriloque (Lansman, 2001) et *La hache* (Gallimard, 2006[7]) viennent mettre au jour la formidable énergie dégagée par l'entrechoquement des forces immanentes de la subjectivation et de la désubjectivation chez l'être humain. Pour peu qu'on s'y arrête, on découvrirait sans peine combien la vie des créatures de Larry Tremblay est faite de fuites en avant, de plongées funestes en leur for intérieur ou de soudaines illuminations. Il s'agit là, à n'en pas douter, d'une problématique centrale dans la dramaturgie occidentale contemporaine, à laquelle notre ouvrage souhaite apporter une contribution stimulante[8].

Trois textes se penchent d'abord sur *Le ventriloque*. Hélène Jacques, dans "La voix de la création : dans le ventre du ventriloque", examine la structure en emboîtement de cette pièce qui reste énigmatique, jusqu'à l'aporie, à l'image de l'acte créateur lui-même, à jamais insaisissable. Nicolas Doutey s'intéresse ensuite, dans "Idiot comme un gros meuble déplacé : l'humour dans *Le ventriloque*", au double mouvement d'empathie et de détachement amusé qui est le propre d'une saisie humoristique du monde ; cette analyse débouche sur une réflexion concernant l'instabilité identitaire du personnage dans cette pièce. Enfin, Thomas Dommange, dans "Les ambiguïtés du corps sans âme dans *Le ventriloque*", s'interroge sur la dimension autoréflexive de la pièce, et en quoi l'auteur y pose sa conception du théâtre. Stéphanie Nutting, dans "Oblique I", revient enfin sur ces trois premières contributions pour en tirer quelques observations aux incidences esthétiques.

Les trois études suivantes ont pour objet *La hache* – un récit, soulignons-le, que l'auteur a monté lui-même en avril 2006[9]. Marion Boudier, dans "Dramaturgie et mise en scène de *La hache* : un réalisme expérimental", met en lumière l'hétérogénéité du matériau dramaturgique qui met en relation des éléments naturalistes, expressionnistes ou fantastiques, avec ses répercussions sur la représentation théâtrale d'un tel assemblage. Pour sa part, Hervé Guay s'attarde au substrat symbolique de la créativité sacrifiée du Professeur dans "Motifs du démembrement et déroute du sujet dans *La hache*", y découvrant des points de convergence avec d'autres textes de l'auteur. Catherine Mavrikakis propose ensuite, avec "Couper dans le vif : interruptions et transmissions dans *La hache*", une appropriation (faussement) autofictionnelle de la situation dans laquelle s'est jeté le Professeur imaginé par l'auteur, par le biais d'un texte très libre et, en même temps, rempli de traits qui font mouche. Avec "Oblique II", Alain-Michel Rocheleau propose enfin quelques remarques sur les effets de distanciation qu'il a détectés dans *La hache*, en écho aux analyses précédentes.

La troisième section de l'ouvrage est consacrée à une table ronde qui a réuni les metteurs en scène Claude Poissant (Montréal), Boris Schoemann (Mexico), Keith Turbull (Toronto) – ces deux derniers, également traducteurs de textes de l'auteur –, en compagnie de Larry Tremblay lui-même qui cumule les fonctions d'auteur et de metteur en scène, une rencontre qu'a animée Paul Lefebvre. Les échanges ainsi consignés permettent de mieux saisir les défis qui attendent les gens de théâtre dans le processus de concrétisation scénique des textes de Larry Tremblay. On y trouvera d'utiles commentaires sur des orientations touchant le jeu de l'acteur et, en particulier, sur les "résistances" offertes à la mise en représentation du *Ventriloque*.

Mettre en scène et penser le théâtre de Larry Tremblay

Une quatrième section permet d'aborder des questions plus larges qui ont à voir avec les tenants et aboutissants d'une écriture où le simulacre et la parodie, le recours au dédoublement et au jeu de rôles font état d'une vision du monde qui oscille entre le tragique et une inquiétante bouffonnerie. Yves Jubinville, avec "La stratégie du miroir. Rites génétiques dans *Le ventriloque* et *Abraham Lincoln va au théâtre*", passe en revue les états successifs des textes mentionnés pour en dégager diverses postures auctoriales susceptibles de nous informer des modalités scripturaires d'un auteur de théâtre en relation avec divers interlocuteurs de la pratique théâtrale. Jean-Pierre Ryngaert, de son côté, met l'accent sur l'ambivalence du personnage dans la dramaturgie de Larry Tremblay, en ciblant la manière qu'a l'auteur de "Faire vaciller les identités empruntées". Enfin, Lucie Robert propose une réflexion critique sur "Le corps et la voix" dans la dramaturgie de l'auteur, en y relevant les "Figures de l'autorité créatrice", ce qui la conduit à isoler le Verbe comme mode privilégié d'une écriture éminemment et paradoxalement corporelle.

La dernière section de cet ouvrage a été réservée à Larry Tremblay. On y trouvera un texte inédit de l'auteur, "Écrire du théâtre avec de la matière", qui offre une remarquable réflexion sur son travail d'écrivain et de créateur scénique. Suivent, dans la même section, des rubriques documentaires qui rassemblent des informations sur les publications, les traductions et les productions du théâtre de l'auteur.

Le corps déjoué ou la déconstruction des codes

La dramaturgie de Larry Tremblay s'inscrit dans un courant contemporain qui s'emploie au questionnement radical du personnage (et ce, bien au-delà de la crise du drame moderne[10]), par le truchement de (dé-)figurations et de reconfigurations d'un "être fictionnel", devenu l'objet de toutes sortes de manipulations, à la manière d'un cobaye – ce dont témoignent plusieurs études rassemblées dans le présent ouvrage collectif. Certes, il ne s'agit surtout pas d'écraser sous un label commode les tonalités fortement contrastées que révèle la lecture de cette dramaturgie, tantôt inquiète et grave, parfois absurde, tantôt encore carnavalesque, voire franchement déréalisée. Il n'empêche que ce qui sous-tend cette démarche de dynamitage des certitudes touchant le personnage et, à sa suite, l'espace-temps, l'action, la parole elle-même, relève d'une déconstruction soutenue des codes et, partant, des systèmes symboliques.

Il existe pourtant une voie d'accès à cette déstructuration de la fiction dramatique – c'est le corps comme matériau fantasmé – qui restera dès lors opaque et ouvert à tous les scénarios imaginaires, selon des combinatoires ludiques sans cesse changeantes. Le théâtre de Larry Tremblay pose ainsi de nombreux défis à l'analyse, et c'est tant mieux. Cette œuvre, loin d'être achevée, invite en effet à de perpétuels sauts périlleux pour en décrypter les arcanes les plus énigmatiques. Le présent ouvrage aura rempli son objectif s'il permet de poser quelques points de repère dans un espace textuel qui tient de la *terra incognita*.

Remerciements

Le présent ouvrage a pu être réalisé grâce au soutien du Conseil de recherche en sciences humaines du Canada (CRSH) et du Centre de recherche interuniversitaire sur la littérature et la culture québécoises (CRILCQ, site Université de Montréal).

Nos remerciements s'adressent également à Éric Samson-Lamère, responsable de la transcription de la table ronde des metteurs en scène, et à Pierre-David Gendron-Bouchard pour la révision linguistique du manuscrit.

Un grand merci, enfin, à Larry Tremblay qui a répondu aimablement à toutes nos questions et qui a pris le temps de préciser pour nous les éléments biblio-théâtrographiques de son cursus.

Notes :

1- Judith Butler, *La vie psychique du pouvoir*, [*The Psychic Life of Power*, 1997], traduit de l'américain par Brice Matthieussent, Paris, Éditions Léo Scheer, 2002, p. 286.

2- Soulignons la réédition de cette pièce, accompagnée d'un substantiel dossier critique : *The Dragonfly of Chicoutimi*, Montréal, Les herbes rouges, [1996] 2005 ; précédées d'une présentation d'Yves Jubinville, les études de Paul Lefebvre, Robert Dion, Robert Schwartzwald, Chiara Lespérance, Michael Darroch et Jean-François Morissette se trouvent aux pages 61 à 203. L'importance de ce dossier, publié récemment, nous a poussé à exclure *The Dragonfly of Chicoutimi* du corpus étudié dans ces pages.

3- L'Atelier *Transfigurations. Simulacres et déréalisation du sujet dans le théâtre de Larry Tremblay* s'est tenu au Théâtre Espace GO (Montréal) le 30 mars 2007, sous ma responsabilité.

4- Voir Marc Augé, *Non-lieux, Introduction à une anthropologie de la surmodernité*, Paris, Seuil, coll. "La librairie du XXe siècle", 1992 : "Dans les sociétés occidentales, au moins, écrit-il, l'individu se veut un monde" (p. 51). Ailleurs, l'anthropologue déclare que "c'est donc par une figure de l'excès – l'excès de temps – que l'on définira d'abord la situation de surmodernité" (p. 42).

5- Voir Gilles Deleuze et Claire Parnet, *Dialogues*, Paris, Flammarion, coll. "Champs", 1996.

6- Le sens premier du mot "transfiguration" est d'ordre religieux, mais le sens qui nous intéresse ici est d'ordre poétique, voire rhétorique et pragmatique, s'agissant d'un faire faire. Ainsi, selon le *Trésor de la langue française informatisée* (CNRS), "transfiguration" signifie : "Action de transfigurer, d'être transfiguré. Transformation d'une personne humaine dont la physionomie, l'expression prennent un éclat, un rayonnement inhabituel." Il est tentant de rapprocher cette notion de "l'inquiétante étrangeté" freudienne, et d'évoquer plus largement un *ethos* proprement contemporain où l'individu se fait "*homo sacer*", suivant l'ample réflexion d'un Giorgio Agamben.

7- Larry Tremblay, *La hache*, dans *Piercing*, récits, Paris, Gallimard, 2006, p. 7-64.

8- Voir Jean-Pierre Ryngaert et Julie Sermon, *Le personnage théâtral contemporain : décomposition, recomposition,* Paris, Éditions Théâtrales, 2006.

9- *La hache*, texte et mise en scène de Larry Tremblay, création au Théâtre de Quat'Sous (Montréal), du 24 avril au 27 mai 2006.

10- Voir l'ouvrage capital de Peter Szondi, *Théorie du drame moderne*, traduction de l'allemand par Sybille Muller, Belval, Circé, coll. "Penser le théâtre",2006.

Masques
et contre-masques

Sur *Le ventriloque* (2001)

Le ventriloque de Larry Tremblay
Mise en scène de Claude Poissant
Une production du Théâtre Petit à Petit / PàP, Montréal, 2001
Sur la photo : Nathalie Mallette au premier plan ; Daniel Parent et Nathalie Claude en arrière-plan

Photographe : Yanick MacDonald ©

La voix de la création :
dans le ventre du ventriloque[1]

Hélène JACQUES

Ventriloque : des mots latins *venter*, ventre, et *loqui*, parler. Littéralement, donc, "parler du ventre". "On a donné le nom de ventriloquie [...] à une manière singulière de parler, dans laquelle la voix semble sortir de l'estomac ou du ventre et paraît même s'articuler dans ces cavités"[2]. L'illusion est parfois telle qu'elle subjugue, laisse croire à l'auditeur crédule que le ventriloque possède un don, une disposition organique particulière. Hippocrate rapporte, dans le cinquième livre des *Épidémies*, que "la femme de Polémarque étant affectée d'une angine, il sortait de sa poitrine des sons pareils à ceux que rendent les personnes qui parlent la bouche close"[3]. La voix du ventriloque, manifestation d'une inquiétante étrangeté, émergeant pour ainsi dire de l'intérieur, semble appartenir à un autre qui réside en lui.

Le ventriloque, dans la pièce de Larry Tremblay, sème son inquiétante voix du ventre dans plusieurs personnages qu'il anime – auxquels il donne une âme. Si la dramaturgie de Tremblay appelle un commentaire sur le corps, qu'elle interroge, thématise, représente, morcelle[4], elle invite en parallèle à réfléchir au "corps sonore"[5] que constitue la voix, cette production du corps qui cependant, immatérielle, s'en échappe, se projette vers l'extériorité, se dérobe du sujet parlant. "La voix est un espace de circulation"[6], écrit Marie-Pascale Huglo. Elle voyage en effet dans *Le ventriloque* – et sans doute davantage que dans les autres textes de Tremblay –, se posant le temps d'une brève incarnation, d'une profération singulière dans le corps des personnages. La voix chez Tremblay se révèle d'ailleurs souvent empruntée ; le personnage, telle la poupée du ventriloque, devient le porte-voix d'une parole qui lui est soufflée, étrangère. Pensons notamment au *Dragonfly of Chicoutimi*[7] traversé, métamorphosé par la langue anglaise de l'ami d'enfance et par celle de la mère qui "implosent de l'intérieur"[8]. Parce qu'elle est mobile et voyageuse, la voix, donc, représente le sujet tout autant que ce qui le fuit, ce qui s'en dérobe, "ce qui, dans le sujet, ne se laisse pas contenir"[9] et qu'il s'avère difficile de circonscrire. Conséquemment, la voix constitue la trace de "ce qui manque", une "présence en creux" qui "habite le texte de ses respirations" ; insaisissable, elle laisse sur la page "le sillage d'une présence évanescente"[10]. Ainsi envisagée en tant que voix poétique, elle est aussi celle de l'auteur dont on "lit" la façon de parler, dont on "entend" dans l'exercice de la lecture le rythme, la cadence, le ton particuliers, traces d'un souffle disparu.

C'est à une telle quête de la voix voyageuse et disséminée que le lecteur est convié dans *Le ventriloque*, dans la mesure où l'origne de la voix des personnages – la réponse à la question "Qui parle ?" – demeure ambiguë tant Tremblay multiplie les jeux d'emboîtement, de récit dans le récit, que lui inspire le motif de la ventriloquie : "Mais qui es-tu ?"[11], demande Gaby au docteur Limestone, dont l'identité se scinde et s'embrouille lorsque la voix d'un autre parle à travers lui. Le problème de la voix dépasse toutefois celui de l'identité du personnage, car en suivant les aléas de la voix du ventriloque, le lecteur remonte aux sources de la parole, au "lieu magique d'énonciation"[12] de la pensée, d'émergence de l'écriture. Il réside un mystère dans *Le ventriloque*, qui entoure la mort du frère de Gaby, Aurélien, le poète génial et prometteur, dont "la langue [...] avait disparu" de son corps mutilé (*V*, 17). Par analogie, donc, chercher l'origine de la voix du ventriloque, c'est tenter de retrouver "la langue d'Aurélien" (*V*, 17), s'aventurer du côté du mystère de la création, tenter de traquer la voix de l'écrivain.

Poupées russes

Larry Tremblay dissémine plusieurs traces du motif de la ventriloquie dans cette pièce, qui foisonne de figures d'emboîtement où un élément en contient un autre, comme le ventriloque recèle en son ventre de multiples voix. C'est également la ventriloquie, en tant que modèle, qui inspire la structure de la pièce, celle de l'intrigue gigogne qui enchâsse les récits. En ouvrant le livre, le lecteur suit d'abord comme Gaby la prescription du docteur Limestone concernant son prospectus : "Mais dépliez-le ! C'est à l'intérieur que j'expose l'essentiel." (*V*, 16) Il entre ainsi dans une première boîte englobante, dans le ventre du ventriloque qui contient toutes les histoires, qui initie et profère toutes les voix croisées dans la pièce. Au moins quatre niveaux, quatre tiroirs s'emboîtent les uns dans les autres au fil de l'intrigue que l'on "déplie" : dans le premier niveau, un ventriloque discute avec une poupée racontant ce qui se passe au second niveau, au moment où Gaby, enfermée dans sa chambre, fête ses seize ans et se dispute avec ses proches. Chez le docteur Limestone, dans ce qui constitue un troisième niveau, Gaby relate aussi les événements de son jour d'anniversaire, mais elle poursuit et évoque la rédaction de son grand roman et la rencontre avec son frère Aurélien. Au quatrième niveau, le docteur Limestone se transforme en Aurélien et règle ses comptes avec Gaby. Dans un embrouillamini cauchemardesque, tous les personnages finissent par frapper à la porte de Gaby tandis que les niveaux de l'intrigue se confondent. Enfin, retour au premier niveau englobant : le docteur Limestone devient ventriloque et joue avec une poupée.

L'exercice de mise à plat des différents niveaux de l'intrigue révèle la complexité de la pièce et, à vrai dire, il donne le tournis. La lecture du texte, pourtant, laisse l'impression qu'il constitue une machine dont le fonctionnement, efficace et implacable, fait s'intégrer de manière cohérente toutes les boîtes grâce à des transitions habiles et fluides[13]. Les personnages, également, paraissent conçus à la manière de l'intrigue ; poupées russes recelant des identités plurielles, ils cachent en eux on ne sait trop combien d'autres personnages. "Énorme, ton roman. Une boîte énorme", dit Aurélien à sa sœur Gaby, après lui avoir demandé "combien de cerveaux vivent dans [son] crâne rasé" (*V*, 37). Si dans le crâne de Gaby se bousculent les personnages, le docteur Limestone lui, se transforme littéralement lorsque dans les derniers moments de la pièce, il emprunte la voix d'Aurélien (où est-ce la voix Aurélien qui s'empare de lui ?) et laisse surgir de sous son masque de pseudo-thérapeute le frère de Gaby. La pièce repose en fait tout entière sur ces jeux d'emprunt, de vol, de don, d'imposition, d'échange de la parole. Avant d'être envahi par la voix d'Aurélien, en effet, Limestone insuffle impérativement des mots dans la bouche de Gaby lorsqu'il raconte à sa place le récit de la jeune fille, contrainte à acquiescer et à répéter :

> **Docteur Limestone** : Tu dis à ton frère que tu es venue lui lire le plus beau roman du monde.
>
> **Gaby** : Oui, Bob.
>
> **Docteur Limestone** : Il ne t'écoute pas. Il attrape la douche-téléphone et essaie d'ouvrir le robinet. Il hurle. "Mais qu'est-ce qui est arrivé à ma petite sœur pour qu'elle sente si mauvais ?"
>
> **Gaby** : Oui, Bob. "Mais qu'est-ce qui est arrivé à ma petite sœur pour qu'elle sente si mauvais ?" (*V*, 36)

Le personnage d'Aurélien semble n'exister, pour sa part, que dans l'exercice du vol de la voix de Gaby. Le frère vole le roman de Gaby, s'en prétend l'auteur puis, devenu conteur en Afrique, il en fait la lecture à voix haute et subjugue, grâce à cette voix empruntée, les publics qui l'écoutent. Tous les personnages de la pièce, parce qu'il se transforment, empruntent les mots des autres ou prescrivent les leurs avec autorité, participent à ce "commerce" de la voix, si bien qu'ils finissent par apparaître comme les multiples faces d'une même entité. Cet effet est appuyé par les nombreuses répétitions de répliques dans la pièce, qui donnent l'impression que les personnages parlent d'une seule voix : entre autres exemples, je signale celui de Gaby reprenant les mots de la poupée (*V*, 5, 6 et 21), ou encore celui de Balzac criant à Gaby les injures qu'elle-même avait lancées au visage de Léa (*V*, 26 et 39). En outre, le procédé de la répétition de répliques se trouve à l'évidence renforcé par la structure des récits enchâssés de la pièce, dans la mesure où des correspondances s'établissent entre les personnages. La poupée de la première scène, Gaby et Ventre-de-mouche tranchent toutes trois leurs tresses (*V*, 5, 6, 21 et 43) et injurient toutes trois les gens qui les entourent (*V*, 8, 20 et 43) : elles constituent trois variations du même personnage placé dans différents contextes. Si les voix circulent et s'entremêlent dans les personnages aux identités incertaines et mouvantes, c'est qu'elles proviennent d'une même boîte, d'une seule source originelle à partir de laquelle elles fusent et se fusionnent parfois. Cette source, bien sûr, se trouve dans le ventre du ventriloque.

Voix géniale

"Mes personnages me brûlent le ventre", dit Gaby lorsque, saisie d'une fureur divine, elle écrit "le plus beau roman du monde" (*V*, 35 et 27). La jeune fille, figure de l'écrivain dans la pièce, joue le rôle d'un ventriloque, au sens où elle est envahie par ces personnages qui luttent en elle pour surgir de son ventre. "Ouvre", lui crie le docteur Mortimer (*V*, 35), dont les paroles font écho à celles de ses parents qui l'exhortent à ouvrir la porte de sa chambre. Mais qu'est-ce que le docteur veut que Gaby ouvre : la bouche, pour que jaillisse haut et fort la parole de la fille ventriloque ? Les jambes, pour que l'écrivaine enfante un roman ? Peu importe, ça bouillonne dans les entrailles de Gaby, littéralement possédée par l'inspiration créatrice.

On a longtemps cru à une origine surnaturelle de la voix du ventriloque, que l'on envisageait comme la manifestation des pouvoirs occultes de la divination. Les prêtres païens, par exemple, se seraient plusieurs fois servis du talent des ventriloques pour "tromper le peuple crédule et superstitieux" pendant les oracles[14]. La ventriloquie, jusqu'au Moyen Âge, a été considérée "tantôt comme un don de Dieu, tantôt comme une inspiration du démon. Plusieurs ventriloques, [ainsi], furent brûlés comme sorciers"[15]. Les anecdotes abondent dans l'histoire, qui mettent en scène des ventriloques rusés usant de leur singulière habileté pour berner leurs proches en leur faisant entendre les voix d'outre-tombe qu'ils fabriquaient. Habité par la fureur divine ou maléfique, le ventriloque fait entendre une voix surnaturelle, une parole de l'au-delà.

Emportée par l'inspiration lorsqu'elle empoigne son stylo Parker, Gaby perd la raison, est saisie par une pulsion créatrice. "Dans mes veines coule le serpent du génie, dit-elle [...]. Je ne participe plus au déroulement des jours mais à la fulgurance de l'aventure" (*V*, 25). Le "serpent du génie" et la "fulgurance" de l'inspiration poétique transforment, transportent Gaby. Elle s'isole du monde pour écrire, tandis qu'"un grondement, dit-elle, comme un chien dans ma poitrine, me fait trembler des pieds à la tête" (*V*, 28). "Le moment précis où je sens l'encre monter dans le réservoir me remplit d'une force cinglante, affirme-t-elle plus loin. Mes veines, à leur tour, se gonflent, et il me semble les entendre aboyer" (*V*, 30). Gaby ressent le "vertige de la création" tandis que "les rafales du génie [...] font trembler les murs [de sa chambre]" (*V*, 30). En transe, sans dormir, sans manger, sans se laver, elle écrit : "Mes doigts, bleuis d'encre, tachent mon visage, mes cuisses. Mes personnages me brûlent le ventre. Des météores sortis de mes boyaux. Des éclairs lancés de mes os" (*V*, 35). L'inspiration poétique envahit avec violence le corps et l'esprit de Gaby, s'empare de ses "boyaux", de ses tripes, de ses veines, comme un poison, tandis qu'elle se sent devenir divine, géniale, supérieure au commun des mortels. L'inspiration correspond à une pulsion surnaturelle, mais aussi primitive et animale, et si Gaby parle du serpent qui s'agite en ses veines et du chien qui gronde et aboie en elle, elle renvoie dans le même mouvement à des symboles des forces démoniaques. Le serpent, on le sait, séduit et corrompt Ève ; l'émissaire de Méphistophélès, dans le *Faust* de Goethe, est un barbet. En somme, dans le torrent de l'écriture, Gaby est habitée par des forces puissantes et maléfiques, surnaturelles et animales. Elle est animée par la voix féconde de l'inspiration.

Le "génie" illumine souvent les personnages de Larry Tremblay[16]. Impulsion primitive, puissance occulte, l'emportement de Gaby renvoie aux clichés romantiques associés à l'inspiration poétique, à la mythologie du génie, à ce don, à cet enthousiasme créateur des poètes que définit Diderot dans l'*Encyclopédie*. Ce génie, donc, frappe la jeune fille et anime son stylo, lui donne une voix et le pouvoir de créer une œuvre inspirée, monumentale, plus vraie que la réalité qu'elle contrôle désormais à sa guise. Les pouvoirs que le génie lui confère se révèlent en effet extraordinaires : les écrits de Gaby, véritables oracles, s'actualisent dans la réalité. Ce don, parce qu'il constitue un pouvoir surnaturel, rappelle alors la fureur qui anime, selon Platon, le poète. "[C]'est une puissance divine qui te met en mouvement"[17], affirme Socrate à Ion le rhapsode. Ce dernier, je le rappelle, interprète et loue les vers homériques lors de concours. Durant sa performance, le rhapsode se trouve, comme le poète, transporté par la faveur divine. "Possédé du dieu", et à l'inverse, "dépossédé de l'intelligence [et de la raison] qui [sont] en lui"[18], le rhapsode est inspiré par les Muses : c'est grâce à elles qu'il parvient à proférer de belles paroles, à émouvoir son public. Conséquemment, le poète et le rhapsode ne parlent pas en leur propre nom, dans la mesure où la puissance divine les dépouille de leur raison et se manifeste en eux, tandis qu'ils en deviennent les porte-voix.

Par ailleurs, dans *Phèdre* et dans *Le banquet*, où la création poétique découle aussi d'une possession divine, la poésie est associée à l'amour. Socrate y définit ce sentiment comme une forme de délire, de folie qui s'empare de l'homme[19]. Dans *Le ventriloque*, la fureur créatrice de Gaby est intimement liée aux pulsions érotiques qui l'animent, au désir amoureux et interdit pour Aurélien. La scène finale, bachique et hallucinée, dans le vacarme des animaux sauvages qui grondent, met en scène Aurélien prenant "un aspect terrifiant et bestial" et invitant sa sœur à assouvir son désir incestueux : "C'est ce que tu aimes. Plonge dans le mal, Gaby. Plonge dans la poésie, plonge dans le noir. Ose !" (*V*, 45) Poésie et désir s'amalgament, les démons irrationnels de l'amour et de la création fusionnant et se nourrissant l'un l'autre dans l'esprit et le corps enfiévrés de Gaby, la consumant de la même manière. Comme le rhapsode, le poète ou le ventriloque, elle est illuminée, traversée par la voix du génie.

Tékhné du ventriloque

Mais, aujourd'hui, on ne croit plus aux dieux. La critique littéraire ne parle plus guère de faveur divine ni de génie créateur... On a aussi déconstruit depuis belle lurette le mystère entourant le ventriloque. Depuis le XVIIIᵉ siècle, en effet, la ventriloquie est une forme de divertissement, et le ventriloque, un animateur de foire, un artiste de music-hall qui développe une technique afin de créer une illusion. Non, la voix du ventriloque ne provient pas de son ventre !

> Le ventriloque emmagasine préalablement un grand volume d'air. Il bombe sa langue afin de rétrécir l'arrière-bouche. Ainsi l'expiration se fait lentement. Tandis qu'il parle sans presque remuer les lèvres, ses cordes vocales inférieures se trouvent très rapprochées l'une de l'autre, alors que ses cordes vocales supérieures et son épiglotte sont rapprochées de l'axe du pharynx. Le son de sa voix présente un timbre particulier et paraît provenir d'un endroit plus ou moins éloigné.[20]

La fureur divine se métamorphose donc en technique exigeante, nécessitant un entraînement assidu, car le ventriloque, véritable magicien, trompe son auditoire grâce à un jeu savamment orchestré. Cette description de la ventriloquie s'oppose radicalement à la première, récuse complètement le caractère surnaturel et divin qu'on lui attribuait autrefois. En contrôle total de ses moyens et de sa raison, le ventriloque travaille, fin stratège, à leurrer, à créer de toutes pièces une illusion. Voilà le génie romantique, la fureur divine, le souffle mystérieux réduits à un rétrécicement de l'arrière-bouche et à un rapprochement de l'épiglotte et de l'axe du pharynx ; les voilà tournés en dérision par le rusé magicien.

Si Gaby se trouve bel et bien envahie par la fureur divine, Tremblay porte sur cette conception romantique de la création un regard bien ironique, et ce, grâce aux deux scènes encadrant l'intrigue au récit englobant. En effet, le ventriloque, qui ouvre et clôt la pièce, crée l'illusion de l'enthousiasme surnaturel de Gaby. La faveur divine n'existe pas, dans la mesure où c'est le ventriloque qui insuffle une voix dans la poupée Gaby, usant de ses techniques de magicien. Tremblay propose conséquemment deux représentations de l'acte créateur : pour Gaby, initié par la fulgurance du génie ; pour le ventriloque, fabriqué par la technique. Il reconduit dans le même mouvement l'opposition séculaire qui anime le débat concernant la définition du geste créateur, la nature de la source de la poésie : le ventriloque apparaît comme un lointain descendant du rhapsode discutant de ce sujet avec Socrate, dans l'*Ion* cité plus haut. Mais je ne me réfère pas au concept de la rhapsodie au sens où Jean-Pierre Sarrazac l'a défini, même si, en quelque sorte, le geste du ventriloque s'apparente à l'activité de "rapiéçage" du rhapsode qui "coud ou ajuste les chants"[21], les voix diverses. En outre, la "voix rhapsodique", éclatée, "erratique", "irrémédiablement errante et diffractée"[22] qui émerge du travail de montage des formes dramatiques que décrit Sarrazac rappelle sans doute la voix qui voyage dans *Le ventriloque*. Mais il s'agit moins, ici, d'interroger le dialogue éclaté et la voix disséminée du personnage que de réfléchir à la représentation du geste créateur, à l'émergence de la voix créatrice.

Selon Socrate, puisque les poètes composent des vers alors qu'ils sont inspirés par la faveur divine, ils en sont les interprètes. Récitant des vers d'Homère, le rhapsode, quant à lui, propose une interprétation de ces vers, ce qu'il fait, toujours selon le philosophe, animé lui aussi par une inspiration du dieu. Le rhapsode, conséquemment, est interprète au second degré, interprète d'interprète. En d'autres termes, il est le porte-voix du poète, qui est lui-même le porte-voix d'un dieu ventriloque lui insufflant des paroles dont il n'est que le dépositaire. Par ailleurs, Socrate tente de convaincre le rhapsode – c'est là tout l'enjeu du dialogue – que sa pratique d'interprète ne constitue pas un art, qu'il entend comme *tékhné*, c'est-à-dire pratique codifiée, savoir, compétence liés à un objet précis. Comme le poète, selon Socrate, le rhapsode est un homme divin et non un homme d'art, ce à quoi Ion acquiescera, sans doute par vanité, non sans avoir d'abord fait quelques objections. Il dira notamment que la rhapsodie est un art, une *tékhné*, car celui qui interprète les textes possède une grande connaissance des vers et de la pensée d'Homère. Ainsi, dans l'*Ion*, Platon oppose l'art (la *tékhné*, la connaissance), à la poésie (la possession divine). Le statut du rhapsode, résumé bien sommairement ici, demeure irrésolu, il se situe quelque part en suspens entre ces deux pôles.

Semblablement, une telle opposition fonde les définitions de la ventriloquie déclinées plus haut, en ce sens que pour les uns, le ventriloque est animé par une puissance surnaturelle, tandis que pour les autres, il possède une technique, un savoir-faire lui permettant d'avoir un effet sur le public, de le tromper. Ainsi la ventriloquie ne donne pas uniquement à Tremblay l'occasion de créer des personnages aux identités plurielles ou de déployer une structure de l'intrigue ingénieuse ; au-delà du jeu formel, de l'entreprise de mise en abyme de la figure de l'écrivain qu'elle inspire, elle permet à Tremblay de cristalliser en deux pôles antinomiques une réflexion sur le geste créateur – sur son origine et ses pouvoirs. L'issue de cette réflexion reste cependant ambiguë, en ce sens que génie et technique se rejoignent et se confondent constamment dans cette pièce-machine où rien n'est simple. Rappelons que le docteur Limestone, le ventriloque qui clôt la pièce, semble le maître du jeu, contrôle Gaby en lui soufflant les mots dans la bouche : "Parlez ! Il faut parler !" lui ordonne-t-il (*V*, 22). Mais ce même personnage-ventriloque devient plus tard celui que manipule Gaby : "Tu es ma créature, lui dit-elle. Tu fais, tu dis exactement ce que je veux que tu fasses, dises." (*V*, 45) Dans ce renversement des positions, le créateur maîtrisant les techniques de son art devient l'objet de sa créature, de la voix qui s'empare de lui dans la fureur de la création. En d'autres termes, l'habile ventriloque, celui qui se moque de l'emportement divin de Gaby, n'est pas à l'abri des puissances occultes et irrationnelles de l'inspiration ; la ventriloquie n'est pas qu'affaire de technique – pas plus d'ailleurs que la création.

Finalement, la quête est-elle résolue ? A-t-on retrouvé la langue disparue d'Aurélien, l'origine de la voix créatrice ? Puisque deux sources de la création, génie et technique, sont représentées, et parce que le ventriloque lui-même se perd dans la voix de sa création, il semble bien que le mystère demeure. En effet, si un ventriloque orchestre le tourbillon de voix au centre duquel se trouve Gaby, on en sait bien peu sur ce curieux magicien. Représente-t-il un alter ego de l'auteur de la pièce ? Possible. Mais alors d'où provient sa voix, qui lui souffle les voix des personnages ? Dans le ventre de qui, en somme, nous trouvons-nous ? Comme l'insaisissable personnage d'Aurélien, absent mais occupant de manière obsédante les pensées de Gaby, la voix de la création plane, présence en creux, diffuse et évanescente, se faufile entre les personnages, s'immisce dans les poupées russes et les boîtes de l'intrigue, s'échappe lorsqu'on croit la tenir. Elle reste inaccessible et mystérieuse. Et si je me trompe, si la pièce est au contraire le fruit d'une machination savante, de l'utilisation maîtrisée d'une *tékhné* suscitant une illusion parfaite sans le soupçon d'une inspiration géniale, alors j'ai été bernée, j'ai succombé aux ruses du ventriloque et à sa voix de sortilège.

Notes :

1- Ce texte est redevable des recherches effectuées dans le cadre du projet *Un théâtre d'opérations : étude du phénomène d'hybridation dans la scénographie actuelle*, que dirigent à l'Université Laval Chantal Hébert et Irène Perelli-Contos. La pièce *Le ventriloque* a fait l'objet d'une étude inédite préparée par Rosaline Deslauriers, dont les travaux ont en partie inspiré ma lecture du texte de Larry Tremblay.

2- "Ventriloquie", dans Pierre Larousse, *Grand Dictionnaire universel du XIXe siècle*, Tome XV, Genève/Paris, Slatkine, 1982 [1866-1876], p. 873.

3- *Idem.*

4- Entre autres pièces exemplaires de ces représentations du corps, voir *Le déclic du destin*, de Larry Tremblay (Montréal, Leméac, 1989).

5- Marie-Pascale Huglo, "Présentation", *Les imaginaires de la voix*, *Études françaises*, vol. 39, no 1, Presses de l'Université de Montréal, Montréal, 2003, p. 7.

6- Marie-Pascale Huglo, "Voix et narration", dans Marie-Pascale Huglo et Sarah Rocheville (dir.), *Raconter ? Les enjeux de la voix narrative dans le récit contemporain*, Paris, L'Harmattan, 2004, p. 14.

7- Larry Tremblay, *The Dragonfly of Chicoutimi*, Montréal, Les Herbes rouges, coll. "Territoires", 2005 [1995].

8- Adeline Gendron et Marie-Christine Lesage, "Récit de vie et soliloque dans *Leçon d'anatomie* et *The Dragonfly of Chicoutimi* de Larry Tremblay", dans Chantal Hébert et Irène Perelli-Contos (dir.), *Le théâtre et ses nouvelles dynamiques narratives*, Québec, Presses de l'Université Laval, 2004, p. 193.

9- Marie-Pascale Huglo, *loc. cit.*, 2003, p. 8.

10- Jean-Pierre Martin, *La bande sonore*, Paris, José Corti, 1998, p. 28-29.

11- Larry Tremblay, *Le ventriloque*, Carnières-Morlanwelz, Lansman, 2001, p. 42. Dorénavant désigné à l'aide du sigle (*V*), suivi du numéro de la page.

12- Jean-Pierre Martin, *op. cit.*, p. 14.

13- Le principe d'ouverture et de fermeture de la porte de la chambre de Gaby (ou des boîtes de l'intrigue, ou de la bouche des personnages et du ventriloque) préside aux transitions entre les niveaux.

14- "Ventriloquie", *loc. cit.*, p. 873.

15- *Idem.*

16- C'est le cas de Guillaume dans *Le génie de la rue Drolet*, Carnières-Morlanwelz, Lansman, 1997.

17- Platon, *Ion*, Paris, Flammarion, 2001, p. 100.

18- *Ibid.*, p. 101.

19- Voir l'introduction de Monique Canto, *ibid.*, p. 48.

20- "Ventriloquie", *Dictionnaire encyclopédique Quillet*, Vol. 10, Paris, Librairie Aristide Quillet, p. 7247.

21- Céline Hersant et Catherine Naugrette, "Rhapsodie", dans Jean-Pierre Sarrazac (dir.), *Poétique du drame moderne et contemporain. Lexique d'une recherche, Études théâtrales*, n° 22, 2001, p. 105-106.

22- *Ibid.*, p. 107.

El Ventrilocuo de Larry Tremblay
Mise en scène et traduction (espagnol - Mexique) de Boris Schoemann
Une co-production de Teatro Unam et Los Endebles, Mexico, 2007
Sur la photo : Alejandra Chacón et Carlos Corona

Photographe : Roberto Blandas ©

"Idiot comme un gros meuble déplacé" : l'humour dans *Le ventriloque*

Nicolas DOUTEY

Si la forme théâtrale nous dit une chose, c'est bien qu'aucune parole, aucun énoncé, n'est privé d'énonciation, de corps produisant cette parole. Peut-être est-ce là l'indice d'une affinité particulière entre théâtre et humour : l'humour en effet ne se décèle pas clairement au niveau des énoncés, mais au niveau plus global d'une attitude, d'un comportement ou d'un geste énonciatifs. Cette importance et cette complexité du geste dans la compréhension de l'humour sont sans doute ce qui les distingue de l'ironie. Alors que l'ironie suppose une nette mise à distance de l'objet de l'ironie, un détachement surplombant, l'humour, comme l'écrit Jankélévitch, "compatit avec la chose plaisantée ; il est secrètement complice [...], se sent de connivence"[1]. Si l'ironie consiste en une prise de distance univoque de l'ironiste, la distance instaurée par l'humour se compose avec un mouvement d'adhésion à l'aspect sérieux de ce dont on se détache.

Je propose de réfléchir au *Ventriloque* à partir de ce double mouvement de détachement et d'empathie propre à l'humour. Je poserai d'abord la question de l'humour par rapport au type de figuration opéré dans la pièce ; j'essaierai ensuite d'articuler le concept d'*humour* à la problématique de l'identité qui, selon l'auteur lui-même, est l'un des enjeux centraux de la pièce.

1. Dans un entretien accordé à *L'Express* pour la représentation anglophone du *Ventriloquist* à Toronto en mai 2006, Larry Tremblay disait : "[...] la critique anglophone a semblé aimer les acteurs et le mouvement, mais n'a pas compris mon *humour*. Elle pense que, d'une façon ou d'une autre, il faut y trouver un message psychologique. Elle essaie de réduire la pièce à quelque chose de réaliste"[2]. Nous allons prendre au mot l'auteur, et essayer de comprendre quel est le lien, implicite ici, qui rattache la question de l'humour à celle du réalisme.

D'abord, formellement. Comme on l'a dit, l'humour est une question d'attitude, d'énonciation plus que d'énoncé – donc, en ce qui concerne la figuration esthétique, l'humour sera sensible au niveau du *geste* de figuration d'ensemble. Or la question du *réalisme* est bien une question qui concerne le geste de figuration. Ensuite, plus précisément, quel est le mode de négociation du réalisme qu'on pourrait qualifier d'humoristique ? Il faudrait qu'on ait un double rapport simultané d'implication et de détachement, c'est-à-dire en termes théâtraux : une composition d'éléments réalistes et d'éléments épiques. Le réalisme est une option figurative qui nous tourne vers l'illusionnisme, support d'identification et donc d'adhésion ; alors que l'épique crée une distance par rapport à l'illusion. Et c'est bien cette composition de réalisme et d'épique que Larry Tremblay désigne lorsqu'il dit que sa pièce *ne se réduit pas* à quelque chose de réaliste.

Ce qu'il faut garder en tête, c'est que les éléments d'épisation du drame ne doivent pas mettre à distance la fiction au point de créer un point de vue surplombant sur cette fiction : on serait alors dans l'ironie, et non dans l'humour qui, lui, reste compatissant, et donc engagé dans la fiction. La posture ironique est le risque de l'épique brechtien, tel qu'en a récemment parlé Jean-Pierre Sarrazac[3]. L'épisation brechtienne provoque un retour au cadre même de la représentation, hors du représenté et de la fiction, et nous rapproche ainsi de l'ironie. Pour rester dans un geste humoristique, il faut que la distance s'insère dans la sphère fictionnelle, qu'elle ne pousse pas jusqu'à la sortie hors de l'illusion.

Comme je l'ai dit, l'humour compose des éléments de mise à distance et d'adhésion, d'épique et de réalisme, de comique et de dramatique, etc. Je ne m'attarderai pas à ce qui, dans la pièce, relève d'une figuration illusionniste, et provoque une tension dramatique et des effets d'identification ; je m'attacherai exclusivement à quelques procédés facteurs de cette distance non disruptive propre à l'humour. Ces procédés sont nombreux dans *Le ventriloque*. Je vais tenter de dégager deux d'entre eux, qui me semblent particulièrement originaux : ce que je propose d'appeler un principe de déplacement, et quelque chose qui se rapprocherait d'un principe tautologique.

a. Le premier procédé d'épisation dont je voudrais parler est un principe de déplacement des significations. Deux exemples :

On peut d'abord relever un effet de structure, souligné par le titre de la pièce. La saynète initiale entre un ventriloque et sa poupée introduit le drame central. Ce dernier est donc implicitement présenté comme le produit de l'imagination d'un ventriloque qui fait parler une poupée. Cependant, l'effet de rupture s'accompagne d'un mouvement de continuité : le dialogue initial annonce partiellement ce que sera le drame central, et l'acteur jouant le ventriloque joue aussi le docteur Limestone. Plus qu'une rupture dans la continuité dramatique, on aurait donc une modification du cadre représentationnel, accompagnée d'un déplacement des significations jusque-là assignées au ventriloque et à sa poupée. La structure de la pièce semble produire deux autres *déplacements* de ce type. Le drame central, ne serait-ce que par sa longueur, tend à prendre une certaine autonomie, et la saynète initiale, structurellement prioritaire, se décentre au fur et à mesure de la représentation, de plus en plus lointaine dans l'attention spectatrice. Second déplacement de l'attention, donc, qui se manifeste par une autonomisation progressive des personnages du drame central. Cependant, la saynète initiale nous est rappelée à la fin, par le retour brutal, au moment d'acmé dramatique entre Gaby et Aurélien, à une scène entre un ventriloque et sa poupée. On pourrait croire à un retour à la situation initiale, à une rupture nette, mais il n'en est rien : le ventriloque s'appelle maintenant Parker, il est dans sa chambre, et sa mère l'appelle de la même manière qu'Hortense appelait Gaby dans le drame central. Troisième déplacement, donc : déplacement et non rupture, dans la mesure où cette saynète conclusive est porteuse de significations développées dans le drame central. Comme si les significations se défalquaient du personnage[4] auquel on avait été habitué de les attribuer, pour s'accrocher à un nouveau personnage. Ce principe de déplacement opère ici comme une rupture partielle de la continuité narrative, qui nous dégage partiellement de la tension dramatique, et nous invite à ré-agencer les réseaux de signification tout en restant dans l'illusion.

Toujours lié au principe de déplacement, on peut relever un autre procédé, très marquant bien qu'employé à petites doses, qui consiste à briser très ponctuellement l'adhésion des spectateurs à l'illusion. Je ne prendrai qu'un exemple, qui peut sembler microscopique, mais qui illustre à mes yeux un aspect particulièrement intéressant du principe de déplacement. Il s'agit du moment où le docteur Limestone demande subitement à Gaby de l'appeler Bob[5]. Gaby donnera plus loin une explication pour ce nom *Bob*. Mais au niveau de la réception spectatrice, dans la continuité de la représentation théâtrale, on est en présence d'une demande très incongrue, qui n'est pour l'instant vecteur d'aucune signification. Cet effet comique lié au caractère tout à fait inattendu de la demande – et d'autant plus inattendu qu'elle intervient à un moment où nous sommes installés dans une atmosphère de tension dramatique – produit bien sûr un mouvement de dégagement, de mise à distance. Mais plus radicalement, c'est le sens même du geste de figuration à l'œuvre dans l'ensemble de la pièce qui est ponctuellement déplacé, ou au moins mis en doute par cette saillie : s'agit-il d'un drame avec des personnages auxquels on peut s'identifier, ou bien d'une farce sans aucune vocation réaliste ? Si j'insiste sur la dimension ponctuelle d'un tel effet comique, c'est parce que c'est cette ponctualité elle-même qui permet de ne pas sortir complètement de l'illusion, on est tout de suite repris par le mouvement dramatique – et le personnage de Gaby nous y aide : en marquant sa surprise par rapport à cette demande, elle ramène notre surprise de spectateurs dans l'univers fictionnel.

Pour conclure sur ce premier principe d'épisation, le principe de déplacement, qui donne au geste de figuration sa dimension humoristique, on pourrait dire que l'humour participe d'un mouvement de déstabilisation du sens. Les significations ne s'arrêtent pas, ne trouvent pas de destination finale ; le mouvement d'adhésion provoqué par la tension dramatique est en même temps mis à distance et déstabilisé par ces jeux de déplacement. C'est d'ailleurs ce refus de clore les significations que Larry Tremblay revendique, quand il dit qu'"une pièce est un objet complexe qui devrait être plein de questions plutôt que de réponses"[6].

b. Je voudrais maintenant évoquer un deuxième procédé d'épisation, qui présente quelques affinités avec des énoncés tautologiques, ou ce qu'on a pu appeler la *littéralité* au théâtre. Les deux exemples que je vais donner se situent dans la saynète initiale.

Alors que la poupée dit qu'elle s'est mise à saigner en trouvant la cinquième boîte, le ventriloque dit : "À saigner ! C'est très intéressant ce que tu viens de dire. À saigner ! Mais pourquoi ? Que s'est-il passé ?" (*V*, 7) Le ventriloque est ici dans la posture de l'analyste qui cherche à déceler la profondeur latente dans un discours qui ignore sa signification réelle. Cette dimension de la profondeur est immédiatement niée par la poupée, qui tient à rester à la surface, en répondant : "Rien. Je perdais du sang, c'est tout" (*V*, 7). Ce qui est opposé ici au registre de la profondeur, c'est un discours quasi tautologique du type : "j'ai saigné parce que je perdais du sang, j'ai saigné parce que j'ai saigné". On peut l'interpréter comme un refus de coopérer de la part de la poupée. Mais on peut proposer une autre interprétation. Le ventriloque ressemble en effet à ce moment à un herméneute, à l'affût de la profondeur psychologique de Gaby : il s'apparente ainsi à la figure du spectateur de drame réaliste tel qu'en parle Larry Tremblay[7]. Ce refus de donner prise, de la part de la poupée, signifié dès les premiers moments de la pièce, peut donc être lu comme un avertissement adressé aux spectateurs : il va falloir faire l'effort de ne pas chercher de message ; l'auteur dirait d'emblée sa méfiance envers la profondeur psychologique.

Deuxième exemple. Lors de cette saynète initiale, alors que le ventriloque pose des questions fermées à la poupée, celle-ci répond à plusieurs reprises : "Oui. Non.", ou "Non. Oui. Non." (*V*, 5, 7, 8), c'est-à-dire : ne donne pas de réponse claire. Ce refus de répondre ne peut certes pas être assimilé à une tautologie, mais semble avoir la même fonction : refuser de répondre, c'est refuser de livrer des significations stables qui permettraient d'affiner la caractérisation du personnage dans le sens de la profondeur.

Ce procédé impose aux spectateurs d'en rester à la surface. Répondre par une tautologie, ou ne pas répondre, c'est ne pas donner prise à l'interprétation, à la constitution d'une profondeur psychologique. C'est aller dans le sens de ce que Clément Rosset a appelé *idiotie*, en activant la racine grecque *idios*, qui a donné par exemple *idiolecte* ou *idiosyncrasie* : l'idiotie, c'est ce qui est sans profondeur cachée[8]. En quoi ces procédés d'idiotie sont-ils épiques ? Simplement dans la mesure où en rester au personnage comme surface empêche les spectateurs de le constituer comme profondeur psychologique, et donc entrave le processus illusionniste traditionnel d'identification.

Pour conclure sur ces deux procédés d'épisation, on peut émettre l'hypothèse que, contrairement à l'épique brechtien, qui consiste à *interroger* la signification mise en place par le drame *en sortant du drame*, l'épique de Larry Tremblay consiste à déplacer les significations en permanence, à ne pas leur attribuer de destination finale, ou à les refuser purement et simplement. Et c'est de cette manière que l'on peut qualifier le geste de figuration à l'œuvre dans *Le ventriloque* d'humoristique et non d'ironique. La prise de distance ne consiste pas à sortir de l'illusion, mais à la déstabiliser, ou à la rendre à sa surface. Et les deux procédés de déplacement et d'idiotie se rejoignent, dans la mesure où quand les significations se déplacent, on repart à zéro, et on revient un temps à la surface.

2. Je voudrais maintenant essayer de voir en quoi cette *qualité humoristique*, sensible dans le geste représentationnel, travaille aussi directement l'un des thèmes centraux de la pièce : la question de l'identité.

On peut commencer par remarquer que la stabilité des identités sur scène est très clairement subvertie. Les personnages de la pièce, si ce sont des personnages, ne sont en tous cas pas des *sujets* avec une identité stable : le docteur Limestone s'avère être Aurélien, et après cette révélation, Aurélien s'avère être Parker. Gaby s'avère au fond être moins la plus grande romancière du monde qu'une jeune fille amoureuse de son grand frère, et en dernier ressort, la poupée de Parker (ou Parker). Le paradigme de l'instabilité, qui participe du geste humoristique et des procédés de déplacement, mine en son fondement le principe identitaire, le principe de l'identité de soi à soi.

Cependant, *Le ventriloque* ne me semble pas être une pièce visant à subvertir une réalité essentielle et établie qui serait l'identité. Cette vision de l'identité peut être qualifiée d'essentialiste, et est inséparable d'une théorie de la subjectivité comme stabilité. Larry Tremblay nous met au contraire sur la voie d'une conception que l'on pourrait dire *pragmatiste* de l'identité. Dans cette conception, l'identité serait une *construction* opérée par des individus. Alors que la vision essentialiste de l'identité nous plonge du côté de l'intériorité du sujet, de la révélation d'une profondeur, ou d'une vérité préexistante, la vision pragmatiste de l'identité nous met du côté de l'extériorité, de la construction.

Donc si *Le ventriloque* n'est pas une machine d'attaque contre l'identité comme réalité essentielle, c'est parce que l'auteur y développe une théorie alternative de l'identité.

Qu'est-ce qui, dans la pièce, nous mettrait sur la voie d'une telle conception de l'identité comme construction ? On peut s'attarder au personnage de Gaby. Plusieurs indices tendent à nous faire penser que Gaby *construit* son identité de "plus grande romancière du monde". Revenons à la théorie pragmatiste de l'identité. Si l'identité n'est pas une propriété essentielle, c'est alors que ce concept d'identité est exigé dans certains contextes, comme une nécessité pratique. Et dans quel contexte particulier l'identité peut-elle intervenir comme une nécessité ? Dans une situation de minorité, où il s'agit de *se définir* pour s'imposer. L'identité, l'affirmation d'une identité, est un rapport à l'autre, une réponse – on doit d'ailleurs pouvoir *répondre de* son identité, et ce face à une entité majoritaire, face à un pouvoir[9]. Or, la situation de Gaby est bien structurée par ce rapport à un pouvoir. Gaby, enfermée dans sa chambre, est assaillie par toute une série de figures de l'autorité, ou du jugement, vécues comme contraignantes, et auxquelles elle oppose une résistance. Ces figures sont celles de l'autorité parentale ; de l'autorité médicale (le docteur Mortimer, et dans une certaine mesure le docteur Limestone) ; de l'autorité religieuse, relais de l'autorité parentale à travers Léa : "Ta mère m'a demandé de t'aider. Ouvre la porte. Dieu m'a ordonné de te sauver." (*V*, 26) ; de l'autorité littéraire, avec Balzac. Et on peut supposer que c'est *en réponse* à ces figures que Gaby *construit* son identité forte de plus grande romancière du monde. D'autre part, il semble que cette identité répond à un besoin qui motive toute l'action de Gaby : son désir pour son frère. Si Gaby se forge cette identité, c'est pour séduire son frère, et ne plus subir le dédain du *vrai poète* de la famille.

Quel rapport avec l'humour ? On retrouve, dans cette conception de l'identité comme construction, les deux principes de déplacement et d'idiotie qui nous ont semblé caractéristiques de l'humour de Larry Tremblay. Si l'identité est construction, alors elle ne consiste pas en une révélation de significations, mais en une mise en mouvement, en un déplacement. L'instabilité de l'identité, ou peut-être mieux : l'*ouverture* de l'identité, est liée à ce geste de déplacement. Et dans la mesure où la construction nous met du côté de l'extériorité, et non du côté de l'intériorité et de la profondeur, elle rejoue le geste de l'idiotie figurative, pour nous installer à la surface.

Mais il semble qu'il y ait une autre figure, qui manifeste plus radicalement cette conception de l'identité, et qui structure l'ensemble de la pièce : c'est bien sûr la figure du ventriloque. Qu'est-ce qu'un ventriloque en effet, sinon quelqu'un qui construit l'identité de sa poupée ? Et on ne peut pas, ici, ne pas penser à l'acteur. De même que le ventriloque fait parler sa poupée, lui construit une identité imaginaire, l'écrivain de théâtre fait parler ses acteurs, leur construit des identités imaginaires (des personnages). Et plusieurs passages de la pièce reproduisent ce rapport : de même que les acteurs doivent obéir aux indications scéniques, Gaby doit suivre à la lettre le prospectus du docteur Limestone ; de même que ce que Gaby écrit avec son stylo Parker se réalise effectivement, ce que l'écrivain de théâtre écrit se réalise effectivement sur scène par l'entremise des acteurs. Larry Tremblay a dit que *Le ventriloque* est une pièce sur l'écriture : peut-être est-ce en particulier une pièce sur l'écriture de théâtre ?

Reposons maintenant la question : qu'est-ce qui relie cette conception de l'identité à l'humour ? À partir du moment où l'identité n'est pas une profondeur essentielle, mais relève d'un *dehors*, elle ne peut saisir l'individu de manière pleinement coïncidente : il reste nécessairement une distance entre cette identité et cet individu. Distance qui est aussi bien, dans *Le ventriloque*, celle de l'acteur au personnage et du personnage à l'acteur. Mais cette distance n'est pas ironique, surplombante, car l'identité n'est pas vide.

"Idiot comme un gros meuble déplacé"[10] : c'est une expression qu'emploie Larry Tremblay pour décrire, dans une fiction esquissée dans *Le crâne des théâtres*, l'attitude d'indécision profonde d'un personnage, pris de regrets après avoir manifesté violemment sa haine contre sa femme. Cette formule exprime avec une certaine force d'évidence le retour soudain à l'indétermination d'un personnage encore partiellement pris dans son élan de haine. L'image est frappante pour nous, parce qu'elle allie les deux dynamiques que j'ai essayé de dégager, et qui constituent à mes yeux deux caractéristiques de l'humour dans la pièce : dynamique du déplacement, qui est celle qui mène ce personnage de la haine à l'indécision ; et dynamique de l'idiotie, sensible dans cette suspension de la signification et de l'action que métaphorise bien *un gros meuble*. Cette expression pourrait décrire le type de conception de l'identité que l'auteur nous présente dans *Le ventriloque* : une identité qui n'est pas sans contenu, mais qui est instable, et qui se fabrique à la surface. Bref, une identité *humoristique*, qui, sans se briser, sans se défaire sous nos yeux, maintient un certain degré d'incertitude et d'indétermination, une certaine distance. Ce que la pièce semble nous inviter à penser, à travers le geste humoristique, c'est qu'au moment même où l'individu construit des stabilités identitaires, il reste *idiot comme un gros meuble déplacé*.

Notes :

1- Vladimir Jankélévitch, *L'ironie*, Paris, Flammarion, coll. "Champs", 1979, p. 172. On pourrait aussi penser à Kierkegaard ; ou encore à Pirandello, qui note que ce qui distingue l'humour des autres formes de comique, c'est que l'humour perçoit "le côté sérieux et douloureux" de ce dont il se détache (Luigi Pirandello, *Écrits sur le théâtre et la littérature*, (trad. Georges Piroué), Paris, Denoël/Gonthier, 1968, p. 201).

2- Dans "Larry Tremblay : mode d'emploi en sept questions", entretien avec Daniel Soha, *L'Express*, Toronto, semaine du 16 au 22 mai 2006. Disponible en ligne à l'adresse http://www.lexpress.to/archives/479/.

3- On pense notamment à *Jeux de rêves et autres détours* (Belfort, Circé, coll. "Penser le théâtre", 2004), et à la lecture critique que Sarrazac y propose de la *Théorie du drame moderne* de Szondi.

4- On pourrait penser au "sourire sans chat" qu'évoque Lewis Carroll, dans *Alice au pays des merveilles* ainsi qu'à ce qu'en dit Deleuze dans *L'épuisé*, son essai sur Beckett (Samuel Beckett/Gilles Deleuze, *Quad et autres pièces pour la télévision* suivi de *L'épuisé*, Paris, Éditions de Minuit, 1992, p. 93-94).

5- Larry Tremblay, *Le ventriloque*, Carnières-Morlanwelz (Belgique), Lansman Éditeur, coll. "Les classiques de demain", 2004, p. 34. Dorénavant désigné à l'aide du sigle (*V*), suivi du numéro de la page.

6- Dans "Larry Tremblay : mode d'emploi en sept questions", *loc. cit.*.

7- Dans le passage de l'entretien cité au début de cette communication, L. Tremblay assimile en effet "réalisme" et "message psychologique".

8- Clément Rosset, *Le réel – traité de l'idiotie*, Paris, Éditions de Minuit, coll. "Critique", 2001.

9- Et cette conception de l'identité vaut, me semble-t-il, tant à un niveau individuel qu'à un niveau plus communautaire – peut-être y aurait-il alors là une piste pour penser du *politique* dans *Le ventriloque*.

10- Larry Tremblay, *Le crâne des théâtres – essais sur les corps de l'acteur*, Montréal, Leméac, coll. "Théâtre essai", 1993, p. 37.

Les ambiguïtés du corps sans âme
dans *Le ventriloque*

Thomas DOMMANGE

1.

En ouvrant sa pièce *Le ventriloque* par l'histoire d'une jeune fille défaisant successivement des boîtes contenues les unes dans les autres, Larry Tremblay ne livre peut-être pas seulement son procédé dramatique, mais aussi un procédé théorique. De même que l'ouverture de la dernière boîte dans la première scène nous conduit à un nouveau drame contenu dans le premier, on pourrait dire que la pièce au complet contient en elle une autre boîte, philosophique celle-là. Qui ouvrirait *Le ventriloque* trouverait ainsi à l'intérieur un drame, contenant lui-même une proposition théorique sur le théâtre, renfermant à son tour un problème métaphysique que la pièce aurait pour fonction de résoudre dramatiquement. Je me propose d'ouvrir successivement ces boîtes et de dire : premièrement, en quoi cette pièce exemplifie la conception que son auteur se fait du théâtre, et quel est le problème métaphysique contenu dans cette conception ; et deuxièmement, quelle solution *Le ventriloque* apporte à ce problème métaphysique. Enfin, je finirai en adressant une question à ce que je crois être la position philosophique ainsi présentée dans la pièce.

L'idée que *Le ventriloque* met en scène une réflexion sur le théâtre tient au fait, me semble-t-il, que ce qui est exposé, exhibé, dramatisé, dans cette pièce, ce ne sont pas principalement des personnages ou des situations, mais des corps. Les deux seuls personnages représentés sur scène – d'après la didascalie initiale – sont d'une part un ventriloque et ses hétéronymes, et d'autre part une poupée personnifiée par Gaby, c'est-à-dire, dans les deux cas, des personnages dont la première caractéristique réside dans la singularité des corps. La pièce dans son ensemble, en exposant les incessantes métamorphoses de ces deux corps, hors desquelles les changements d'identité des personnages sont impensables, contribue à faire d'eux non pas les supports, mais les véritables sujets du drame. Le docteur Limestone ne devient Aurélien Létourneau que par une transformation du corps, en se mettant nu et en dévoilant ses tatouages, cependant que l'évolution de Gaby est inséparable des modifications qu'elle fait subir au sien, par exemple en coupant ses tresses ou en se déshabillant. Or, comme l'écrit Larry Tremblay dans son livre *Le Crâne des théâtres*, s'il se passionne pour le théâtre, c'est parce qu'il y découvre le corps. Le travail que les acteurs de kathakali font sur leur corps, écrit-il, "me fascina au point d'y consacrer une partie de ma vie. Toute ma réflexion sur le théâtre, de même que ce livre, en tirent leur origine véritable."[1] Et en effet, toute la suite du livre est une réflexion sur la construction d'un corps apte à la représentation et sur la dialectique de fragmentation et de recomposition qui le traverse. Mais si *Le ventriloque* constitue une réflexion en acte sur le destin des corps au théâtre, ce n'est pas seulement parce que la pièce érige le corps en sujet du drame, c'est en outre parce que le rapport entre le ventriloque et la poupée reproduit la situation de l'acteur par rapport à son personnage. Comme le ventriloque qui doit agir sur son corps pour faire entendre une seconde voix, l'acteur doit transformer le sien pour "installer en lui le corps fictif du personnage". En faisant de son ventre une seconde bouche, le ventriloque nous fait voir la nécessaire fragmentation du corps de l'acteur dans le jeu, cette nécessaire dislocation de soi dont Larry Tremblay découvre la règle chez Zeami et dans le théâtre kathakali, se réappropriant ce qu'à la suite d'Artaud et de Deleuze, on pourrait appeler la métamorphose du corps organique en corps sans organe.

Or c'est précisément parce que *Le ventriloque* est une pièce sur le destin du corps, et singulièrement sur le destin du corps dans le jeu de l'acteur, qu'elle concerne la métaphysique. Dans la conclusion du *Crâne des théâtres,* Larry Tremblay écrit : "il n'y a rien de plus métaphysique que le jeu."[2] Ce qui est métaphysique dans la conception du théâtre de Larry Tremblay, c'est donc le rapport au corps tel qu'il est engagé dans le jeu et plus exactement le rapport problématique de l'âme et du corps. Plusieurs éléments indiquent que le problème métaphysique du théâtre réside dans la séparation de l'âme et du corps ; cette phrase par exemple située au début du *Crâne des théâtres* et qui dit : "Toute la réflexion moderne sur l'acteur pourrait ressembler […] à un balbutiement théologique qui ressasse […] la querelle indépassable du corps et de l'âme."[3] Ou encore le rappel, un peu plus loin dans le texte, du premier principe du système de Delsarte, essentiel dans le dispositif théorique de Larry Tremblay, qui énonce : "1. HOMME : assemblage d'une âme et d'un corps."[4] Ou enfin, le fait que Larry Tremblay assigne comme objectif au jeu théâtral d'atteindre à ce point – qu'il appelle "sublime" – où "le corps de l'acteur […] est devenu le lieu où la fusion [il faut comprendre la fusion entre l'âme et le corps] s'est accomplie."[5] Dépasser le dualisme classique, construire un "corps harmonieux" soustrait à l'empire de la division, tel est je crois, pour Larry Tremblay, le rôle métaphysique du théâtre. Si tel est bien le cas, *Le ventriloque,* en exhibant en son sein le problème du jeu de l'acteur, peut alors être lu comme un conte philosophique ayant pour finalité de résoudre le dualisme de l'âme et du corps par l'invention d'un corps harmonieux, c'est-à-dire d'un corps débarrassé de l'existence idéaliste de l'âme.

2

Ce qui m'incite à voir dans *Le ventriloque* une réponse au dualisme, c'est qu'on y voit justement émerger un nouveau type de corps, auquel je propose de donner le nom générique de "poupée". La légitimité d'une telle hypothèse repose sur le fait que la poupée, quelles que soient ses différentes identités, est définie avant tout comme une corporéité sans intériorité ou sans profondeur. Dans la première saynète, toutes ses réactions indiquent non seulement une prédominance du corps, mais surtout un refus et une incapacité à expliquer ses réactions par des motivations psychologiques. Aux questions du ventriloque, la poupée ne sait pas quoi répondre, et, comme l'a souligné Nicolas, s'enferme dans une tautologie du type : "je saigne parce que je saigne" qui ne signifie ni plus ni moins que "mon corps réagit ainsi parce que mon corps réagit ainsi." Contraction du cœur, fumée sortant des oreilles, pleurs, problèmes respiratoires, saignements ne sont pas des réactions secondes, mais dessinent l'être de la poupée sur l'écume de son corps. C'est ce que confirme l'entretien avec le docteur Limestone dans lequel l'exploration psychique est remplacée par celle du corps, comme si le dépouillement de l'âme devait nécessairement pour Gaby se métamorphoser en nudité physique. La poupée, en tant qu'elle représente la figure d'un corps bouclé sur lui-même, fait donc advenir dans le drame une corporéité "pure".

Mais si elle n'était qu'agitation du corps, une telle poupée ne se distinguerait pas d'une marionnette. Entre les mains du ventriloque, puis du docteur Limestone, puis de son frère, et enfin de Parker, Gaby ne devrait ses mouvements qu'à un personnage extérieur. Tels sont en effet les mouvements de la marionnette, qui lui viennent d'une force qui n'est pas la sienne ; la marionnette attend pour se mouvoir les ordres d'une main invisible, seule capable de diriger dans l'ombre les tremblements de son être. C'est pourquoi, traditionnellement, la marionnette renvoie à la figure de la machine ou de l'automate qui ne se meuvent qu'en fonction d'une impulsion venue du dehors. Or la poupée n'est pas seulement ici ce personnage dont les incessantes métamorphoses supportent le déroulement du conte philosophique ; elle est surtout ce corps qui a été capable de s'arracher à son statut de marionnette. Si on admet en effet que la pièce met en scène un jeune homme prenant différentes identités pour jouer avec une poupée nommée, pendant la majeure partie du drame, Gaby, on ne peut manquer d'être surpris par une des dernières répliques de la pièce où Gaby s'adresse à son frère et lui dit : "Tu me menaces ! Tu es ridicule. Tu es ma créature. Tu fais, tu dis exactement ce que je veux que tu fasses, dises."[6] Si on admet comme à peu près stable la répartition des identités, ce qui m'intéresse dans cette invective, c'est qu'elle signifie qu'en fin de compte, ce n'est pas le ventriloque qui contrôle la poupée, mais bien l'inverse. En nous faisant voir Gaby prendre le pouvoir sur celui qui était sensé la faire parler et se mouvoir, Larry Tremblay semble vouloir nous indiquer que ce qui n'était au début de la pièce qu'un corps mû du dehors s'est arraché au monde des choses pour conquérir des mouvements uniquement contenus dans les errances de sa masse. Les actions de Gaby, ses accès d'injures, l'impulsion de couper ses tresses, ses tremblements, tout cela en définitive surgit de sa propre surface. La possession du principe de son propre mouvement, dont Aristote fait la propriété distinctive des êtres naturels, peut ainsi constituer la ligne de démarcation précise entre la figure de la marionnette et celle de la poupée. Parce que cette dernière conquiert un corps qui se meut de lui-même, en fonction d'un principe immanent, elle dessine véritablement dans ce conte philosophique une figure nouvelle. En quoi le corps de cette poupée est-il original par rapport au corps organique qui est le nôtre, et en quoi résout-il le dualisme ? C'est ce que je voudrais examiner maintenant.

Le nœud, je crois, se trouve justement dans l'attribution du principe de mouvement. Dans la tradition philosophique, l'organisme qui se meut de lui-même ne tire pourtant pas de lui le principe de ses mouvements. Laissés à eux-mêmes, les corps ne peuvent se mouvoir et il faut pour animer ces amas de matière un souffle qui n'est pas en leur pouvoir. C'est ce principe d'animation que précisément, comme l'indique le terme latin *anima,* on appelle âme. Alors que le corps, même s'il contient l'âme de façon immanente, dépend d'un autre que lui pour se mouvoir ; l'âme, elle, se définit justement par sa capacité à se mouvoir d'elle-même. Platon, dans les *Lois,* définit explicitement l'âme par son automouvement. Il écrit : "ce qui porte le nom "d'âme" quelle en est la définition ? Sommes-nous en état d'en donner une autre que celle qui a été énoncée tout à l'heure : "le mouvement capable de se mouvoir lui-même"[7]. Et il en déduit immédiatement que "l'âme s'est révélée à nous comme la cause, pour tous les êtres sans exception, de tout ce qu'il y a en eux, sans exception, de changement et de mouvement"[8]. La poupée au contraire, parce qu'elle n'est que corps, ne peut pas être mue par une âme, mais seulement par ses propres impulsions. L'originalité de sa situation ne réside pas tant dans le fait qu'elle peut se mouvoir d'elle-même, que dans le fait que le principe de son mouvement doit être attribué à son corps, dans le fait qu'il peut en être l'auteur exclusif.

Cette force motrice dont le corps de la poupée n'est plus seulement le temple, mais aussi le démiurge, et qui se substitue métaphysiquement à l'âme en assumant une fonction qui était jusque-là celle de cette dernière, je propose de l'appeler *pulsion.* Comme l'âme de la philosophie antique, la pulsion est définie par Freud comme un facteur de motricité. Elle est la charge énergétique qui pousse à l'action. Le mot allemand *Trieb,* qui est traduit en français par pulsion, vient du verbe *treiben* qui veut dire pousser. Alors que l'âme ne cesse de transcender le corps, la pulsion est le nom donné à la capacité du corps à s'autopropulser. Plusieurs raisons permettent de penser que le ressort des actions de Gaby peut être attribué exclusivement à la pulsion. Tout d'abord leur caractère irrépressible. Gaby semble en effet incapable de s'opposer aux forces exclusivement physiques qui l'ébranlent. Elle écrit sans s'arrêter, injurie avec un emportement inépuisable, déteste sans faiblir. Ce qui caractérise ensuite ses actions comme pulsionnelles, c'est son impossibilité à expliquer ses actes. Des injures, du désir de son frère, de sa haine de Léa, nous ne connaîtrons pas les raisons. C'est que le corps livré à ses pulsions ignore à la fois où il va et de quoi il est capable. Alors que l'âme ne cesse de vouloir rendre raison du mouvement qu'elle initie, la pulsion se déploie, insouciante, enfantine, et n'a nul besoin de savoir ce qui l'emporte pour se laisser emporter. Le contenu des actions de Gaby, qui renvoie principalement aux formes les plus primitives de l'énergie pulsionnelle, "pulsion sexuelle pour son frère, pulsion de mort tournée vers l'extérieur" ainsi que le fait de consacrer la partie centrale de la pièce à une longue séance de psychanalyse, renforcent encore l'impression que la clé de ce conte philosophique réside dans la pulsion en tant qu'elle signifie ici la capacité du corps à se mouvoir par ses seules forces. Car le terme de poupée ne désigne pas seulement le personnage singulier de Gaby, avec ses multiples identités ; il permet aussi de définir l'autre protagoniste du drame présent sur la scène. Ce que nous avons dit de Gaby, nous devons le dire aussi du docteur Limestone et de son double, Aurélien Létourneau. Que ce soit sous le visage de l'un ou de l'autre, nous avons là affaire à un personnage qui n'est pas moins que Gaby l'objet de ses pulsions. Qu'on évoque le désir sexuel irrépressible de Limestone ou le désir pervers de Parker jouant avec sa poupée, ou encore l'inscription à même son corps des pulsions d'Aurélien Létourneau, on constate que ce sont tous les personnages du drame qui se meuvent sous le coup de leurs pulsions et qui acquièrent un corps de poupée.

La pièce de Larry Tremblay nous présenterait ainsi deux typologies de corps. D'un côté, hors de la scène, invisibles, des personnages "sensés" qui pâtissent et pensent. C'est Hortense, c'est Léa ou Étienne. Ceux-là sont pourvus d'un corps organique n'ayant pas en lui le principe de son mouvement et sont nos semblables. De l'autre, sur la scène, des personnages sans âme, se mouvant par la seule puissance d'agir qui réside dans leur corps. Entre les deux, la scène de théâtre se dresse comme l'élément indispensable au surgissement du corps sans âme que cherche la métaphysique. Ce pouvoir de transformation du corps par la scène théâtrale, je crois qu'il faut finalement l'appliquer à l'acteur. On l'a rappelé en commençant, dans *Le crâne des théâtres*, c'est à l'acteur qu'il revient de résoudre le dualisme de l'âme et du corps, c'est pour lui que l'invention d'un nouveau corps est la plus nécessaire et la plus urgente. C'est à l'acteur, en dernier ressort, de devenir une poupée, c'est-à-dire d'être capable de prendre sur lui un personnage qui est comme son âme, afin de dissoudre cette âme extérieure dans les fragments de son corps et de faire en sorte que d'elle, il ne reste rien ; à l'acteur encore qu'il échoit de faire de ses os, de sa chair, de sa peau, et de chaque organe pris séparément, un corps céleste n'obéissant dans son mouvement qu'aux seules lois de la physique ; à lui enfin qu'il incombe de nous montrer comment on engloutit, rumine, digère les impulsions de la conscience ou les émotions d'une âme pour les transformer en frémissements du corps.

3.

À cette position métaphysique, je voudrais, pour conclure, adresser une question. Car que fait-on quand on rabat les attributs de l`âme sur le corps ? On donne à ce dernier, ou plutôt on lui rend, tout ce que de vieilles mythologies avaient hypostasié dans l'âme. En repliant sur le corps le principe de ses actions, on défait les liens qui le tenaient attaché à des puissances supérieures et on lui confère une indépendance souveraine jusque-là réservée à Dieu, à la volonté ou à la conscience. Détaché de toute entité transcendante et invisible, devenu sa propre mesure, le corps se voit enfin offrir la possibilité de régner sur lui-même non parce qu'il est le plus sage ou le plus puissant sujet de son royaume, mais parce qu'il en est le seul occupant. Sans autres ennemis que les vieux fantômes d'une métaphysique qui n'est plus, le corps en gloire regarde, gisant à terre, des concepts diaphanes que la pensée théologique a abandonnés dans sa fuite, comme fait une armée vaincue laissant aux bras du vainqueur le soin de décider du sort de ceux qu'elle a laissés derrière elle. La pièce *Le ventriloque* dessine un monde métaphysique où n'existent plus que des corps et des tendances, et où on n'entend plus que la respiration, parfois saccadée, parfois ample, de corps oscillant entre le désir et l'apaisement. Elle dessine un monde où les corps suivent la route de penchants qui sont autant de pentes sur lesquels les uns et les autres nous roulons. Voici que nous *n'avons* plus des corps mais que nous *sommes* des corps, des corps s'explorant eux-mêmes pour découvrir l'étendue de ce qu'ils peuvent. Tout va bien donc.

Mais la pente que nos corps descendent les mène à la tombe. Si la vérité du monde est dans les corps souverains, il n'est pas impossible que la vérité de ces corps en majesté soit dans la mort. Car au bout du compte le corps meurt, cela est certain, entraînant avec lui dans la cendre, le royaume qu'il tenait dressé sur ses épaules. La nécessité pour l'acteur d'en passer par la décomposition de son corps dans le travail du jeu, le démembrement final d'Aurélien Létourneau, le choix du terme de crâne pour ressaisir dans le titre de son livre théorique le projet du théâtre, ainsi que la fin de ce même livre où Larry Tremblay s'entraîne à voir des squelettes sous les corps encore vivants de ceux qu'il croise, tout cela fait système et semble indiquer que le destin du corps glorieux dont *Le ventriloque* nous fait le portrait ne peut s'achever que dans la mort. Le corps sans âme, aussi libre et puissant soit-il, aussi lucide et fort qu'on puisse l'imaginer, n'est donc qu'un cadavre en attente de la terre qui viendra lui remplir la bouche, si rien ne vient le sauver. L'affinité entre le corps solipsiste et la mort est ancienne. La religion juive déjà distinguait deux sens du mot *bâsar* pour désigner alternativement le corps animé, vivant, sacré, quand il est traversé par un souffle, et le cadavre ou la viande seulement bonne à être consommée, quand le corps est vidé de son principe vital. Luther, dans son *Sermon sur la préparation à la mort,* écrit que le diable, à la dernière extrémité, présente au mourant les images de sa corruption. Là, pour lui, se trouve l'enfer : non pas dans l'inéluctabilité de la mort, mais dans la terreur que sa venue inspire au corps au moment de basculer dans le néant. Seulement, dans le dispositif luthérien, le corps n'est pas tout, et l'homme, plus vaste que lui, finit par se calmer. Pour nous au contraire, une question demeure : si nous ne sommes que des corps, fussent-ils triomphants, comment échapper à l'enfer ? Comment dire que tout est corps sans le livrer pieds et poings liés au désespoir ?

Le ventriloque s'achève donc pour moi sur une question que je voudrais partager avec son auteur, par une dernière boîte qui, comme celle du conte que nous raconte Larry Tremblay, ne peut pas manquer de s'ouvrir toute seule. Cette question pourrait être formulée ainsi : comment un corps rendu à sa seule matérialité peut-il trouver à même son immanence, une puissance capable de l'excéder et de le tirer par les cheveux hors du néant vers lequel il s'avance ?

Notes :

1- Larry Tremblay, *Le crâne des théâtres. Essais sur les corps de l'acteur,* Montréal, Leméac, coll. "Théâtre essai", 1993, p. 16.

2- *Ibid.,* p. 127.

3- *Ibid.,* p. 19.

4- *Ibid.,* p. 52.

5- *Ibid.,* p. 20.

6- Larry Tremblay, *Le ventriloque,* Carnières-Morlanwelz, Lansman, 2001, p. 45.

7- Platon, *Les Lois,* X, 895 e 10 – 896 a 2.

8- *Ibid.,* 896 b 3.

The Ventriloquist de Larry Tremblay
Mise en scène et traduction (anglais - Canada) de Keith Turnbull
Une production de Factory Theatre, Toronto, 2006
Sur la photo : Meg Roe et Nigel Shawn Williams

Photographe : Ed Gass-Donnelly ©

Oblique I

Stéphanie NUTTING

Merci tout d'abord à Hélène Jacques, Nicolas Doutey et Thomas Dommange pour leurs interventions probantes et fort stimulantes. Ma réponse prendra comme point d'ancrage conceptuel le masque, vu le titre du premier atelier de la journée : "Masques et contre-masques du sujet", titre qui invite à réfléchir non seulement sur les relations qui existent entre l'acteur et son masque (ou ses masques), mais aussi, dans le cas de la ventriloquie, sur la relation métonymique qui lie le masque à la poupée.

On s'entend pour dire que le masque neutre et le demi-masque suffisent à immobiliser la mimique et à concentrer l'attention sur le corps de l'acteur; c'est d'ailleurs de cette manière que le masque déréalise le personnage qui le porte. Or, la poupée concentre aussi une attention qui n'a d'autre choix que d'osciller, le regard mobile du spectateur ou de la spectatrice passant, dans un va-et-vient continuel, des lèvres du comédien/ventriloque aux lèvres du pantin. Attentifs au moindre signe qui trahit l'origine physique du son, nous traquons cette ellipse entre l'extériorité et l'intériorité. Aussi est-ce précisément sous le signe du mouvement que nous situons nos propos. D'ailleurs, c'est cette notion de mouvement qui s'est dégagée, à mon sens, comme le fil conducteur qui a traversé les trois communications.

Hélène Jacques nous a montré comment la voix semble surgir d'un autre qui "réside en lui" et comment elle obéit à un mouvement circulaire, d'une bouche à l'autre, nous amenant ainsi à réfléchir sur l'origine, dès lors problématique, du geste créateur. Son propos rappelle celui de Marie-Pascale Huglo qui, dans un texte consacré aux imaginaires de la voix, affirme : "Dans le creuset entre la présence et l'étrangeté à soi, la matérialité de la voix nous permet d'imaginer ce qui, dans le sujet, ne se laisse pas *contenir*."[1] Hélène Jacques a mis en évidence les enjeux de la voix qui, dans *Le ventriloque,* ne se laisse pas contenir, justement, d'où la difficulté à séparer le génie créateur du prestidigitateur. Et on pourrait même aller plus loin dans ce sens pour dire que l'ensemble de poupées russes auquel est comparée la structure de la pièce n'a de sens que si on le défait, si la mise en abyme refuse d'être téléscopée, si, comme la voix, cet ensemble ne se laisse pas contenir, jouant ainsi le jeu sans fin de la répétition et de la variation.

Pour Nicolas Doutey, la question de l'identité, dans *Le ventriloque*, est régie par une conception pragmatiste ; elle serait, tout entière, "mise en mouvement". Cette hypothèse est étayée par une analyse de l'humour dans la pièce et par la démonstration de deux principes liés aux procédés d'épisation : d'une part, un principe de déplacement ; d'autre part, un principe de tautologie.

Le point de départ conceptuel, à savoir l'acception d'"idiotie" retenue par le philosophe Clément Rosset, nous met sur la voie de l'extériorité, l'idiotie elle-même étant définie par l'absence d'une profondeur cachée. Or, cette méfiance envers la profondeur psychologique aurait pu nous mener dans une autre voie aussi : celle de la fascination pour la machinerie du corps et pour tout ce qui enfreint la règle de l'incodifiabilité de l'être humain. Car il y a bien fascination pour le corps en danger de réification, pour une utopie qui envisage le contrôle à distance de la chair humaine. D'ailleurs, la présence sur scène de la poupée, cette figure de corporéité pure (et tout à fait artificielle), n'est pas sans rappeler les observations d'un autre philosophe français, Henri Bergson, qui tire le discours sur le comique et sur le rire du côté de la mécanique du corps[2].

C'est précisément ce phénomène de corporéité radicale qui est au cœur de l'intervention de Thomas Dommange, pour qui la pièce *Le ventriloque* "contient en elle une pièce philosophique". En renvoyant à la figure de la machine, la marionnette pose un problème d'ordre métaphysique que Dommange articule ainsi : "Peut-on mettre le corps en scène de façon à le débarrasser d'une âme tutélaire ?" Cette question souligne d'ailleurs à quel point, à l'instar d'Antonin Artaud et d'Eugenio Barba, Larry Tremblay a élaboré une vision théâtrale qui repose sur l'anatomique[3]. Mais le corps peut-il vraiment se débarrasser de tout principe transcendant, surtout quand il y a attribution du principe de mouvement ?[4] Selon moi, ce genre de question nous invite à relire Kleist, surtout le petit texte subtil et surprenant qu'il a publié sur la "danse" des marionnettes. Selon ce dialogue philosophique, il serait impossible pour le corps humain de rivaliser de grâce avec le corps mécanique[5]. Mais il est aussi vrai que la question, ainsi posée, invite peut-être à faire un crochet chez Edward Gordon Craig et ses *surmarionnettes*, qui ont si parfaitement miné, dans l'imaginaire de ce dernier, la suprématie du corps vivant.

Notes :

1- Marie-Pascale Huglo, "Présentation", *Les imaginaires de la voix*, *Études françaises*, vol. 39, no 1, Presses de l'Université de Montréal, Montréal, 2003, p. 8. C'est l'auteure qui souligne.

2- Henri, Bergson, *Le rire. Essai sur la signification du comique*, Paris, Les Presses universitaires de France, 1964 [1940].

3- Larry Tremblay, *Le crâne des théâtres : essais sur les corps de l'acteur*, Montréal, Leméac, 1993.

4- Il faut exclure, bien sûr, les mouvements attribuables aux instincts.

5- Heinrich von Kleist, *Über das Marionettentheater*. Ce texte a paru pour la première fois en décembre 1810 dans le *Berliner Abendblättern*.

Sujet détraqué
et scène déréalisée

Sur *La hache* (2006)

Dramaturgie et mise en scène de *La hache* : un réalisme expérimental

Marion BOUDIER

Sur une scène incertaine, improbable chambre d'étudiant aux allures carcérales, un professeur de littérature, ivre, désillusionné, s'enfonce dans une folie suicidaire, au cours d'un monologue adressé à un interlocuteur silencieux. Larry Tremblay nous montre la difficulté d'un homme à prendre position dans le monde contemporain, dénonçant le pouvoir génocidaire des idées, les risques de l'idéal littéraire et de la médiation télévisuelle. Le détraquement du sujet semble avoir pour cause celui du monde, devenu irréel, d'une violence inouïe, d'une bêtise sans fond. Comment, au théâtre, rendre compte de cette double crise ? Selon quelles modalités la scène permet-elle d'atteindre une vérité des détraquements du sujet et du monde ?

Tremblay nous présente un personnage en crise, défiguré par le doute et la désillusion ; il ajoute à la tension dramatique entre les personnages une tension au sein même du personnage, dont l'identité vacille. S'il a construit un sujet à l'identité forte, il détourne cette détermination en nous le présentant au moment même de sa chute, selon une dramaturgie qui fait du personnage en crise un cobaye, disséqué et observé *in vitro* sur la scène du théâtre. Construite selon une série de tensions entre éléments concrets et déréalisation, la mise en scène de *La hache* réalisée par Tremblay lui-même au Théâtre de Quat'Sous, en avril 2006, participe à cette transfiguration du sujet, sans faire basculer le spectacle dans l'affabulation. Elle donne à voir un état du monde et un état mental avec justesse, mais sans vraisemblance. Elle laisse au spectateur un sentiment de familiarité et d'étrangeté à la fois, tout comme le texte déjoue les attentes du lecteur, en évoquant notre actualité et une constellation d'œuvres littéraires[1]. Cette dramaturgie singulière et sa réalisation scénique me semblent appartenir à une tendance réaliste expérimentale, c'est-à-dire que *La hache* crée des effets de reconnaissance et une forte impression de réalité sans pour autant représenter celle-ci avec fidélité.

Le réalisme expérimental

Née dans un autre contexte, sous la plume de Bernard Dort au sujet de Brecht[2], l'expression de réalisme expérimental me sert à démarquer la démarche esthétique de Tremblay dans *La hache* du naturalisme et d'un réalisme au premier degré, utopique copie de la réalité, pour la rapprocher des dramaturgies du détour, analysées notamment par Jean-Pierre Sarrazac, qui a montré comment, à partir de formes dramatiques non réalistes, parabole ou jeu de rêve, certains textes rendent tout de même compte du mouvement réel de la vie. L'adjectif expérimental, qui désigne autant une dramaturgie qu'une attitude critique envers la tradition, les institutions et l'exploitation commerciale du théâtre[3], vient ici s'accoler au terme réalisme pour le réhabiliter, pour le désolidariser d'un réalisme naïf, qui ne propose qu'un "reflet superficiel de la réalité"[4] en imitant ses apparences sans atteindre sa véritable pulsation, sa diversité, ses contradictions... Le réalisme expérimental se refuse à l'illusion de réalité, à ce "mécanisme par lequel certaines formes de théâtre et d'autres arts de représentation – le trompe-l'œil, le cinéma, la télévision – tentent de se faire oublier comme artifice et de faire croire qu'ils ouvrent une fenêtre sur la fiction comme si c'était le monde réel"[5].

Avec le réalisme expérimental, pas de copie, pas d'immersion photographique dans la réalité, mais une autre façon de donner à saisir le réel, en le bousculant. Le texte et la mise en scène de Tremblay s'inscrivent dans cette mouvance et participent au questionnement contemporain sur l'aptitude et les moyens du théâtre pour représenter le monde, face à la concurrence des images. L'expérience vécue par le professeur met d'ailleurs en abyme cette question du rapport de l'art et de l'artiste au réel.

En effet, le professeur a cru se révolter contre la bêtise et purifier la réalité de ses représentations toutes faites en écrivant un poème, en s'enfermant dans une tour d'ivoire :

> Depuis 27 ans, sans fléchir, j'ai balayé les ordures qui encombrent la pensée. J'ai repoussé les images, les slogans, les formules qui la déforment et la réduisent à un tic nerveux. [...] J'avais cru bousculer le réel, jeter de la lumière, réinventer le monde, m'en emparer pour le refaire à coups de phrases rangées en régiments, en garnisons, en paragraphes[6].

La hache rendue par l'étudiant en guise de copie met fin à cette révolte idéaliste et agit sur le professeur tel un dessillement : elle lui révèle son incapacité à regarder le réel en face : "Tu as froid ? Moi je tremble. Je me sens dégrisé. C'est le moment le plus dur quand le réel se résigne à n'être que lui-même, comme une chaise n'est qu'une chaise éternellement, sans histoire et sans désir d'en posséder une" (*H*, 47). Pour le professeur, la littérature a échoué dans son approche du réel, parce qu'il l'avait investie d'une trop grande mission, celle de purifier un monde méprisable. Cherchant à créer une image épurée du réel, l'image idéale d'un monde de pensée, il a en fait écrit "contre le monde" (*H*, 46). On pourrait donc considérer le personnage du professeur comme le représentant de l'idéalisme en littérature, à l'opposé du réalisme qui s'attache "à la reproduction de la nature, sans idéal" (*Le Petit Robert*), qui décrit de façon minutieuse et objective les faits et les personnes. Par-delà cette opposition entre idéalisme et réalisme, la dramaturgie et la mise en scène de Tremblay suivent une troisième voie, celle du réalisme expérimental, en ayant recours à une situation expérimentale, à un lyrisme clinique, à un univers de demi-réalité et à une présence singulière.

La situation expérimentale

La hache n'a pas l'allure d'une pièce réaliste ; elle est même fondée sur un acte assez hors du commun : à la place d'une copie, un élève a rendu à son professeur une hache. S'il relève du possible, ce geste demeure cependant peu vraisemblable. Mais cette altération du connu et du probable fonctionne comme un dispositif d'expérimentation scientifique : elle déforme pour constater, dénature pour révéler. C'est un cadre expérimental qui, en déformant son objet, révèle certaines de ses propriétés. De l'invraisemblance initiale sont tirées des conséquences révélatrices de la relation maître-élève et du danger des idéaux purificateurs. De cette invraisemblance initiale découle une représentation fine de la crise du personnage, qui ne semble ni caricaturale ni factice, mais bien *réaliste*, en ce qu'elle transmet au spectateur avec justesse la révolte, le doute, la peur, que peut comporter une telle crise intérieure. Pour reprendre la comparaison élaborée par Günther Anders dans son livre sur Kafka, le dramaturge a procédé ici comme "la science moderne de la nature [qui] place son objet, pour sonder les secrets de la réalité, dans une situation artificielle, la situation expérimentale"[7].

L'efficacité de cette expérimentation dramaturgique réside dans le fait qu'elle ne métamorphose pas totalement le réel et ne s'y substitue pas dans l'intérêt des spectateurs. Elle crée une distance au cœur même de la proximité. Les protagonistes sont, en effet, communs, reconnaissables : un professeur et son élève. Ils renvoient à une époque et à une actualité connues : génocide, vaches contaminées, skinheads extrémistes. Mais la situation incroyable que vivent ces personnages n'est pas présentée comme telle. L'artificialité de l'expérience est gommée, dès lors que le stupéfiant ne stupéfie pas sur le plateau : le professeur fait irruption dans la chambre de l'étudiant sans provoquer aucune réaction de sa part : "Tu ne réagis pas ? [...] Tu es bien celui que je crois, celui à qui je peux dire que mes enfants brûlent sans que son visage ne montre aucun signe d'inquiétude" (*H*, 21-22). Le silence et la passivité de l'étudiant, double du spectateur sur scène, rendent crédible l'intrusion du professeur en pleine nuit chez son élève. Avec le parti pris de jeu introverti et quasi statique de Xavier Malo, la mise en scène naturalise une dramaturgie à la situation irréaliste, expérimentale, sans recourir à une esthétique naturaliste.

Lyrisme clinique

La pièce de Tremblay saisit la crise du professeur tel un dispositif d'observation qu'on pourrait comparer à un microscope braqué sur une éprouvette. Le récit de la marche du professeur à travers la ville pour se rendre jusque chez l'étudiant et les moments dans lesquels il fait le bilan de sa carrière peuvent créer le sentiment que cette nuit passée dans la chambre du jeune homme est une résolution, le dénouement d'une vie. La dynamique du drame absolu, du drame *in vivo*, succession de présents tendus selon une série de péripéties vers un dénouement[8], est ainsi suggérée, alors qu'en vérité, elle est détournée au profit de la dissection *in vitro* d'un seul moment. Pas d'ellipse dans le récit du professeur, mais un flux verbal, déversé pendant l'heure et demie qui précède l'aube (*H*, 63). Pas non plus de conflit dramatique entre les personnages, mais un conflit à l'intérieur du personnage en pleine crise d'identité. Sans progression organique, sans intersubjectivité, le monologue du professeur appartient au courant moderne de mise en crise du drame et déplace la tradition naturaliste et psychologique du théâtre centré sur la construction et l'introspection des personnages pour laisser place à la parole du théâtre intime, qui aborde la réalité par le détour d'une subjectivité isolée. *La hache*, comme *Le déclic du destin*, *The Dragonfly of Chicoutimi* ou *Leçon d'anatomie* évoque le théâtre-récit, profération urgente d'un personnage aux prises avec une perte ou un manque, "parole du jaillissement, du cri, de l'angoisse"[9]. Toutefois la parole du professeur oscille entre rétrospection, confession, accusation, entre le monologue délibératif et ordonné et le soliloque incohérent ("je ne sais plus ce que je dis" [*H*, 31]) ; elle échappe au cadre quotidien du récit de vie et à la sincérité du témoignage ("je viens peut-être d'inventer cette histoire" [*H*, 46]).

Cette parole hybride s'inscrit dans un protocole dramaturgique de "vivisection" : la concentration sur un moment de crise dans une unité de temps et de lieu ainsi que la réduction du nombre des personnages rappellent le naturalisme subjectif du théâtre de chambre de Strindberg[10]. Une "lutte des cerveaux", combat à mort, se joue entre le professeur et l'étudiant. Les déplacements des comédiens sur la scène mettent en valeur cette tension d'attraction/répulsion entre les personnages : l'étudiant esquive, fuit, puis se laisse toucher, juste avant que les rôles ne s'inversent. Il demeure inatteignable grâce à son statisme qui, renforcé par son silence, fonctionne tel un élément provocateur, à la manière de la manipulation du "meurtre psychique" élaboré par Strindberg dans *Mlle Julie* et *Père*. Le mutisme de l'étudiant est plus efficace qu'aucune parole : il attise le malaise et le désir du professeur. L'inaccessibilité de l'étudiant, qui a brisé avec sa hache la chambre de pureté du professeur, fait comprendre à ce dernier, comme les vaches massacrées, qu'il a perdu toute sensibilité. Ne pouvant pas s'approcher plus de son élève, il s'offre au couperet de sa hache. À ce sacrifice, qui doit cependant servir d'initiation au jeune homme, s'ajoute la figure de l'ange exterminateur qui donne un aspect de rituel à cette "lutte des cerveaux" et fait, *in extremis*, déraper une nouvelle fois l'observation naturaliste et psychologique vers un ailleurs.

"Demi-réalité"[11]

Le déploiement des conséquences d'une situation expérimentale peu réaliste, la banalisation de l'extraordinaire grâce à la passivité de l'étudiant, le choix du monologue, qui fait passer le réel au filtre d'une subjectivité souffrante, tous ces éléments brouillent la frontière entre réalité et fiction et entraînent la représentation vers une "autre scène"[12]. De la même manière que le professeur dit vouloir se "promener dans [la] tête" de l'étudiant (*H*, 35), on peut se demander si nous ne sommes pas dans la tête du professeur, si la scène que nous regardons n'est pas celle de l'imaginaire. Le réalisme de *La hache* relève ainsi d'une forme de demi-réalité, entre représentation naturaliste et vision. La mise en scène soutient cette tension en proposant une scénographie, une bande-son et des lumières qui oscillent entre illusion de réalité et déréalisation.

La chambre de l'étudiant est un espace neutre : un praticable en bois évoque un lit, mais sert aussi de piédestal ou d'autel : les murs sont nus, anguleux, ils circonscrivent un espace triangulaire au sol incliné. Ce décor évoque aussi bien une mansarde, une cellule, que la "chambre de pensée" du professeur ou le crâne empli "d'idées en forme de hache" de l'étudiant (*H*, 62). Mais dans cet espace abstrait et hétérotopique apparaissent des fragments de réalité : des vêtements, qui disent l'agitation du professeur, la course, la sueur, l'alcool ; une sacoche en cuir usé qui évoque des années d'enseignement ; une paire de bottes noires façon skinhead et, surtout, de la *vraie* pluie. Matières et accessoires donnent du concret à la scène et entrent en contradiction avec la neutralité affichée du plateau. La mise en scène de Tremblay instaure, de cette manière, une tension entre précision des détails concrets et abstraction du lieu scénique. Cependant, cet espace n'est jamais désigné pour ce qu'il est, un plateau de théâtre ; le traitement du son et de la lumière créent sur la scène différentes atmosphères, instaurant un entre-deux, entre réalité et cauchemar. D'une part, l'univers sonore réalisé par Larsen Lupin dramatise la situation à la manière de la bande-son d'un film à suspens. Il brise nettement toute illusion de réalité, en même temps qu'il exploite l'émotivité du spectateur. D'autre part, une lumière claire et bleutée éclaire parfois l'ensemble du plateau, suggérant, de manière naturaliste, la pénombre de la nuit puis la lueur de l'aube. Mais ces éclairages d'ensemble sont rares ; le plus souvent, la lumière découpe des espaces distincts et les déplacements du professeur sur la scène, par tâches successives, puis elle matérialise l'affrontement des deux personnages : elle délimite les différents espaces de leur face-à-face (par exemple, à la fin du spectacle, deux carrés blancs selon une ligne diagonale). Le renversement du rapport de force est également souligné par l'ombre gigantesque de l'étudiant, éclairé en contre-plongée, sur le mur du fond au moment où il prend la hache. On pourrait donc conclure que la lumière comme l'ambiance sonore servent à créer une atmosphère inquiétante et une tension entre les personnages, grâce à un système de focales lumineuses et à la déclinaison de différentes pénombres, sans se soucier d'une représentation naturaliste.

En vérité, ces éclairages ne sont ni purement esthétiques ni naturalistes, ils réfèrent à une autre réalité. L'alternance entre un éclairage froid, sur l'ensemble du plateau, et une lumière plus tamisée, focalisée sur le professeur dans un effet de clair-obscur, semble correspondre au parcours intérieur de ce personnage. Un faible éclairage ambré apparaît dans des moments d'intense émotion, lorsque la confession se fait plus douloureuse ou délirante. Le trouble et la solitude du professeur sont ainsi mis en valeur tels des moments d'absence, des moments d'obscurcissement de la pensée, que brisent de soudains retours à la lucidité, retours à la lumière bleutée sur l'ensemble du plateau, retour à l'espace partagé, à l'échange avec l'étudiant dans une adresse directe plus marquée[13]. On pourrait ainsi parler d'une *lumière états d'âme*, sombre ou claire, focalisée ou générale, selon les tonalités de la confession du professeur, selon sa prise en charge de son interlocuteur ou son immersion solipsiste dans les méandres de sa pensée. La lumière déréalise lorsqu'elle fait apparaître le professeur, tel un fantôme, dans le cadre de la fenêtre, ou tel une statue de Rodin au centre de la scène. Elle brouille le cadre spatio-temporel, mais elle a aussi un autre effet : elle immerge le spectateur dans l'émotion du professeur et lui fait éprouver, de l'intérieur, une vérité du personnage en déroute. Elle revêt ainsi une fonction heuristique, caractéristique du réalisme expérimental qui nous fait atteindre par des détours déformants une vérité de l'objet/sujet représenté. Cet équilibre entre des éléments naturalistes, expressionnistes, fantastiques ou poétiques fait décoller la représentation de la surface des choses, de leur reflet superficiel, sans pour autant faire basculer le spectacle dans l'affabulation ou l'abstraction.

Présence et écoute

Le sentiment de ce perpétuel va-et-vient entre réalité et irréalité est grandement entretenu par l'interprétation de Jean-François Casabonne. Acteur naturaliste, investi émotionnellement, il donne l'illusion qu'il est son personnage. Il recherche dans son interprétation une vraisemblance psychologique avec une telle force qu'il fait, en quelque sorte, sortir la réalité de ses gonds. Comme "l'homme exceptionnel" que le professeur rêvait d'être, le comédien devient "une énigme de chair et de regard. Un génie. Un monstre" (*H*, 22). Il bafouille, rit, pleure, hurle, explorant différentes stases d'une pensée qui dérape et se dérobe. S'il atteint rapidement des tonalités extrêmes, il demeure dans ces hautes intensités avec nuance ; son débit saccadé fait alterner des flux ininterrompus de paroles à des soupirs et des silences angoissants. Son visage se crispe ou perd soudain toute expression, son corps est tendu, comme s'il allait se briser. Sa voix est, comme le dit son personnage, "étrangère aux mots qu'elle jette. Comme détachée" (*H*, 22). De cette distorsion découle le sentiment d'une très forte présence, bien plus forte que celle de l'imitation naturaliste. L'état de convulsion permanente dans lequel Casabonne interprète le professeur évoque les corps de la peinture de Bacon, déformés, mais hallucinants de réalité, décrits par Michel Leiris comme une tentative de "toucher le fond même du réel" : corps paquets de muscles, visages déformés, "comme si la réalité de la vie ne pouva[i]t être saisie que sous une forme criante, criante de vérité comme on dit"[14].

Ce débordement du corps de l'acteur correspond à celui de la parole solitaire, pour créer une présence que le spectateur ne peut ignorer. Le monologue laisse place à plusieurs reprises au soliloque, qui implique le spectateur d'une manière très forte. Comme l'ont montré Marie-Christine Lesage et Adeline Gendron au sujet de *Leçon d'anatomie* et *The Dragonfly of Chicoutimi*, le soliloque est une "parole esseulée et [...] erratique d'un sujet fragile en manque d'interlocuteur et en état de faiblesse [...] dont l'équilibre [...] est menacé"[15]. C'est une parole qui oblige le spectateur à s'impliquer personnellement dans son rôle de récepteur alors que, observateur d'un monologue, il est impliqué de manière plus rhétorique. La logorrhée du professeur révèle un manque d'intersubjectivité ; il est désespérément en quête d'un interlocuteur qui lui permettrait de se reconstituer dans son identité. Il évoque d'ailleurs l'opportunité manquée d'un échange : "nous aurions parlé [...] et cette histoire de chair, qui aurait commencé à s'animer dans ta chambre, aurait fait taire ton silence et mon cri, nous n'aurions plus été seuls ensemble..." (*H*, 62). La présence muette de l'étudiant sur scène rend encore plus criante la solitude du professeur et appelle une écoute empathique de la part du spectateur.

Cette réception sensible, inscrite dans la dramaturgie et les partis pris scéniques de Tremblay, fonctionne en opposition par rapport à la chambre de pensée rêvée par le professeur et contre ce qu'il dénonce comme un autre écran au réel, plus pervers encore car il nous laisse croire qu'il nous le montre en *live* : la télévision. La folle exhibition de la subjectivité du professeur dans le soliloque déjoue le narcissisme des *reality shows*. Le réalisme expérimental provoque chez le spectateur une expérience, expérience de présence, qui a pour corrélat un fort sentiment de réalité. Il me semble, effectivement, que face à *La hache*, l'ouverture du spectateur à ce qu'il voit doit être inversement proportionnelle à la fermeture du sujet sur lui-même et à l'étroitesse de l'espace scénique. Bien que la scène ne soit pas constituée comme un substitut ou un modèle réduit du monde, c'est "comme si on y était" ; quelque chose se passe, auquel on participe. Qu'elle prenne la forme d'une solidarité avec la souffrance du professeur ou d'un agacement devant ses contradictions, cette réception va à l'encontre du pré-pensé et de l'émotion consensuelle recherchés par l'exhibition du vécu dans les médias, et dénoncés par Tremblay depuis *Ogre*, *Téléroman*, et plus récemment dans "Résister à la littéréalité"[16]. Cette présence invite à se poser la question de l'altérité, à se positionner dans la sphère politique ("vivre-ensemble"). C'est sans doute le propre du théâtre, mais l'apparition d'un réalisme télévisuel et stéréotypé sur nos scènes prouve que nous ne sommes jamais assez vigilants.

Ainsi la situation expérimentale, effet de miroir déformant et grossissant, associée à une subjectivation et à une incarnation extrêmes, déréalise la représentation. Cette façon de faire perdre les rapports normaux avec le réel en montrant un homme lui-même perdu demeure, cependant, en accord avec le réel, à son écoute. Le réalisme de *La hache* est critique et heuristique, il est *situé*, ancré dans les détraquements contemporains du monde et d'un sujet, sans vérisme ni réalisme de conformité aux apparences. Même si le théâtre de Tremblay n'a pas l'"allure" réaliste, son résultat est réaliste, car il saisit et transmet un certain degré de réalité. Il immerge le spectateur dans l'intimité d'un sujet, tout en instaurant un dialogue avec la salle, véritable "propédeutique à la réalité[17].

Notes :

1- Je pense, par exemple, à la logorrhée de l'étranger de *La nuit juste avant les forêts* de Koltès, à celle de Clamence dans *La Chute* de Camus, à *Une Saison en enfer*, à *Huis Clos* de Sartre et au sketch de Botho Strauss "Le suicidé et le néant".

2- Bernard Dort, "L'intervention brechtienne", dans *Théâtre en jeu, Essai de critique 1070-1978*, Paris, Seuil, coll. "Pierres Vives", 1979, p. 111.

3- Voir Patrice Pavis, "Théâtre expérimental", *Dictionnaire du théâtre*, Paris, Dunod, 1997.

4- Jean-Pierre Sarrazac, "Avant-propos", *Jeux de rêves et autres détours*, Belfort, Circé, coll. "Penser le théâtre", 2002, p. 9.

5- Pierre Voltz, "Théâtre et réalité", dans Michel Corvin (dir.), *Dictionnaire encyclopédique du théâtre*, Paris, Bordas, 1995.

6- Larry Tremblay, "La hache", dans *Piercing*, Paris, Gallimard, 2006, p. 27 et 42. Dorénavant désigné à l'aide du sigle (*H*), suivi du numéro de la page.

7- Günther Anders, *Kafka, pour et contre*, (trad. H. Plard), Strasbourg, Circé, 1990 [1951], p. 28.

8- Sur ce point, voir Peter Szondi, *Théorie du drame moderne*, Lausanne, L'Âge d'Homme, coll. "Théâtre/Recherche", 1983.

9- Philippe Minyana, "Monologue", dans Jean-Pierre Sarrazac (dir.), *Poétique du drame moderne et contemporain, lexique d'une recherche*, Belfort, Circé, 2005, p. 75.

10- August Strindberg définit la "vivisection", le "meurtre psychique" et la "lutte des cerveaux" dans *Théâtre cruel et théâtre mystique*, (trad. M. Diehl), Paris, Gallimard, coll. "Pratique du théâtre", 1964.

11- August Strindberg à propos du *Chemin de Damas*, cité par Jean-Pierre Sarrazac, *Jeu de rêve et autres détours*, p. 60.

12- Selon la formule d'Octave Mannoni, *Clefs pour l'imaginaire ou l'autre scène*, Paris, Seuil, 1969.

13- Sur le DVD de captation du spectacle, on trouve des exemples de ces changements de lumières aux minutes 53 (*H*, 32-37) et 67 (*H*, 45-46).

14- Michel Leiris, *Francis Bacon, face et profil*, Paris, Seuil, 2004, p. 15.

15- Marie-Christine Lesage et Adeline Gendron, "Récit de vie et soliloque dans *Leçon d'anatomie* et *The Dragonfly of Chicoutimi* de Larry Tremblay", dans Chantal Hébert et Irène Perelli-Contos (dir), *Le théâtre et ses nouvelles dynamiques narratives, La narrativité contemporaine au Québec*, vol. 2, Presses de l'Université de Laval, 2004, p. 179.

16- Larry Tremblay, "Résister à la littéréalité", dans Catherine Morency (dir.), *La littérature par elle-même*, Montréal, Nota Bene, 2005.

17- Bernard Dort, "Une propédeutique à la réalité", dans *Théâtre, essais*, Seuil, coll. "Point", 1986, p. 249-274.

La hache de Larry Tremblay
Mise en scène de Larry Tremblay
Une production du Théâtre de Quat'Sous, Montréal, 2006
Sur la photo : Jean-François Casabonne (à gauche) et Xavier Malo (à droite)

Photographe : Yanick MacDonald ©

Motifs du démembrement
et déroute du sujet dans *La hache*

Hervé GUAY

Avant d'être une pièce de théâtre, *La hache* est un récit et ce récit fait partie d'un recueil que Larry Tremblay a intitulé *Piercing*. Ce constat n'est pas purement intellectuel, puisque ce livre, comme beaucoup d'autres avant lui, je l'ai reçu dans ma boîte aux lettres sous la forme d'un paquet que m'a expédié la maison d'édition Gallimard. Je dois avouer cependant que j'en ai été un peu surpris : il y avait déjà quelques années que je ne faisais plus de recensions au journal *Le Devoir*, ni à Radio-Canada. J'ai ouvert l'enveloppe matelassée. J'ai découvert l'ouvrage de Larry Tremblay qui portait la mention "récits". À l'intérieur, il y avait aussi une dédicace. J'ai trouvé l'attention gentille de la part d'un collègue. J'étais persuadé que je ne traiterais de ce livre nulle part.

Deux mois plus tard, je n'ai pas fait le lien avec la nouvelle pièce de Larry Tremblay qui prenait l'affiche du Théâtre de Quat'Sous. Le hasard avait voulu que ce ne fût pas moi qui couvris le spectacle, mais ma collègue, Marie Labrecque. C'est donc sans arrière-pensée que je suis allé voir *La hache*, à la toute fin des représentations, dans la petite salle de l'avenue des Pins. Plusieurs mois ont passé. En septembre, j'ai emporté *Piercing* avec moi lors d'un voyage en autobus qui me menait à Alma, dans la région dont Larry Tremblay et moi sommes originaires. Quelle ne fut pas ma surprise de découvrir que la pièce à laquelle j'avais assisté se trouvait reproduite à l'intérieur de l'ouvrage que j'avais entre les mains ! Plus exactement, cette pièce formait le premier de trois récits et était suivie de *Piercing*, qui donne son titre au recueil et d'*Anna à la lettre C*, qui avait paru séparément en 1992. Toujours est-il qu'à mon insu, *La hache* attendait sur un rayon de ma bibliothèque depuis des mois que je m'en empare, que je le lise et que je le relise.

Ce préambule de nature plus personnelle me permet d'insister sur l'ambiguïté générique de *La hache*. En effet, Larry Tremblay ne destinait pas ce récit à la scène. Si celui-ci s'y est tout de même retrouvé, c'est surtout en raison de l'insistance du directeur artistique du Quat'Sous, qui a de plus convaincu l'auteur de mettre en scène son propre texte. D'ailleurs, Éric Jean entretient savamment la confusion au sujet de ce texte dans le programme du Quat'Sous lorsqu'il écrit, d'une main, que "l'auteur suggère toujours des univers éminemment théâtraux" avant de préciser, de l'autre, qu'il s'agit de la "toute dernière pièce" de Larry Tremblay. Dans le même programme, l'auteur hésite, quant à lui, à adopter ce point de vue. En guise de mot du metteur en scène, Tremblay insère dans le programme quelques paragraphes d'un essai sur la fonction de la littérature et précise qu'il espère que cet extrait fera écho "au texte et au spectacle de *La hache*", qu'il distingue très clairement l'un de l'autre.

Faut-il conclure pour autant à une appartenance générique confuse pour ce texte ? Je suis porté à le croire. J'estime en outre qu'un autre élément accentue l'hybridité générique de *La hache*, à savoir, les images poétiques que cette pièce-récit emprunte de près et de loin à l'imaginaire des contes. Le recours au merveilleux, voire à l'archaïque, s'avère un trait commun à plusieurs pièces de Larry Tremblay. Un motif en particulier en atteste : celui du démembrement, auquel je consacrerai l'essentiel de cet article. Cette image féconde est souvent associée dans l'œuvre de Larry Tremblay à celle de la dévoration, comme l'auront déjà remarqué ceux et celles qui sont familiers avec son théâtre, ses poèmes et ses récits. Les amateurs de contes penseront immanquablement au personnage de l'ogre qui, depuis Perrault, hante l'imaginaire occidental. Mais l'image du démembrement revient tout aussi fréquemment dans la mythologie, ainsi que le révèlent les mythes d'Osiris, d'Actéon et d'Orphée.

J'espère également que, sur cette œuvre traitant de démembrement, le lecteur me pardonnera de proposer un découpage dramaturgique afin de mieux y étudier le rôle qu'y jouent les figures du démembrement. J'étudierai ensuite le réseau d'images poétiques qui y est ainsi tissé. Je ne m'empêcherai pas d'indiquer les images qui en recoupent d'autres dans le théâtre de Larry Tremblay. Car s'il est difficile au protagoniste de *La hache* d'avancer dans la mesure où il est menacé de démembrement, il est tout aussi difficile au critique dramatique que je suis de parler de *La hache* sans remarquer les liens qui rattachent cette *presque pièce* aux autres pièces de Larry Tremblay. J'essaierai surtout de démontrer que, dans ce monologue intérieur, le motif du démembrement vise à exprimer la déroute du sujet, celle-là même qui est annoncée par la menace de démembrement qui flotte sur le narrateur et son destinataire. Je terminerai par des considérations générales sur l'irrationnel et le merveilleux afin de comprendre pourquoi des emprunts au conte resurgissent dans l'univers d'un auteur dramatique aussi contemporain que Larry Tremblay.

Le caractère central du motif du démembrement est inscrit dans le titre même de la pièce-récit qui nous occupe. Une hache, n'est-ce pas, est rarement mise dans les mains d'un personnage de théâtre juste pour couper du bois. Clytemnestre en sait quelque chose et je vous épargne la liste des héros et des héroïnes qui en ont usé avec violence. Le spectateur n'est donc pas dupe de ce qu'annonce cette hache écrite en grosses lettres sur une affiche de théâtre. Deux autres pièces de Larry Tremblay évoquent le démembrement d'emblée et d'une manière tout aussi explicite (*Leçon d'anatomie* et *Ogre*), tandis qu'une quatrième évoque le corps meurtri (*Les mains bleues*). Une cinquième fait allusion, sinon au démembrement lui-même, du moins à la possibilité qu'un corps se soit emparé d'un autre, (*Le ventriloque*), ce qui – l'on en conviendra – se produit rarement sans violence, même symbolique. Et je passe sous silence ici le héros du *Génie de la rue Drolet*, qui fabrique la nuit des sculptures avec des os de poulet, mais travaille le jour dans un abattoir où sont découpées ces mêmes volailles. Je ne suis pas statisticien, mais le lecteur conviendra avec moi qu'un motif qui se retrouve à tant de reprises au seuil d'une œuvre théâtrale mérite quelque attention.

Avant d'être un outil qui menace le corps de démembrement, rappelons toutefois que cette hache, dans la pièce éponyme de Larry Tremblay, est un objet qui rapproche un professeur et un étudiant, puisque c'est la réponse qu'offre cet étudiant, décrit comme un skinhead, à une question de son professeur. Il est à noter que si nous étions dans une forme réaliste, cette pièce n'aurait pas eu lieu, puisque cette hache se serait retrouvée en moins de temps qu'il ne faut pour crier ciseau chez le directeur, avec comme conséquence la suspension de l'étudiant.

Or, ce qui permet à ce récit de prendre forme, c'est le chemin que fait cet objet à l'intérieur de l'esprit du professeur. Le protagoniste le confesse très clairement au principal intéressé :

> Ta hache.
>
> Je ne dors plus depuis des jours. Je n'arrive plus à fermer les yeux. Elle s'est glissée dans ma pensée. Elle a pris toute la place. Elle travaille dans mon cerveau. Elle s'agite, siffle, frappe. Elle m'empêche de fermer les yeux. Elle me force à voir, tu comprends ! Je l'ai serrée la nuit entière contre mon ventre[1].

Cette hache produit en somme un véritable travail de démembrement intérieur qui conduit ensuite à la nécessité d'un démembrement extérieur pour soulager la souffrance ainsi causée. Une exécution, qu'à l'instar des Grecs, Larry Tremblay a le bon goût de nous épargner et cela, pour deux raisons. La première est que, de toute façon, le mal est fait pour ce professeur, car sa désintégration comme sujet est rapide. La seconde, c'est qu'il est plus intéressant pour le spectateur (et le narrateur) de rester dans le fantasme du meurtre que de le voir réalisé. L'accumulation d'images violentes surgissant en boucle du cerveau du narrateur a aussi pour effet de plonger immédiatement le lecteur/spectateur dans une veine surréaliste qui ne se dément pas par la suite. Les peintres surréalistes, on le sait, étaient friands de dépeçage et de lacérations. Nancy Kline Piore a aussi remarqué plusieurs exemples d'une telle cruauté chez Apollinaire : "The human body, résume-t-elle, comes apart in the fiction of Apollinaire. Abruptly. And, frequently, with violence."[2]

Toujours est-il que la hache s'avère, dans l'œuvre qui nous occupe, à la fois la cause directe de la déroute du sujet et la solution définitive pour y mettre fin.

Larry Tremblay fait ainsi preuve d'une spectaculaire économie de moyens pour traiter d'une question très complexe. Mais regardons de plus près comment les images de démembrement appuient une construction dramatique qui rend sensible une dislocation intellectuelle qui survient devant nous à une vitesse foudroyante. Un déséquilibre dont ma collègue du *Devoir*, Marie Labrecque, écrivait que le spectateur pouvait le constater d'"un seul coup d'œil" - sur la scène du Quat'Sous – grâce au décor aux lignes déformées de Claude Goyette[3]. Plutôt que sur la représentation cependant, je vais me concentrer sur ce récit théâtralisé, plus précisément sur les étapes qui jalonnent une déroute du sujet qui ne peut guère être plus étendue.

Ce monologue intérieur réserve tout de même au spectateur (et au lecteur) des actions concrètes qui structurent cette déroute, qui la spatialisent et la rendent vraisemblable. Il est tout aussi clair que ce récit est encadré par une hache qui passe de l'étudiant au professeur, qui la dépose à nouveau au pied de l'étudiant. Entre ces deux moments, un homme abandonne sa maison à laquelle il met le feu, erre dans la ville, fracasse un ange puis court rendre sa "copie" (*H*, 54) – une hache – à l'étudiant à qui elle appartient[4]. Trois actes donc, si l'on reprend la terminologie de la dramaturgie classique. Acte I : la fuite. Acte II : la destruction d'une sculpture, que l'on peut assimiler à un rebondissement, suivi de l'acte III : le professeur sort de sa serviette la copie de l'étudiant dont le spectateur comprend alors qu'il s'agit d'une hache. Par là, nous sommes en présence de la péripétie préparée par Tremblay et chargée, par lui, de dénouer l'intrigue.

Si ces parties pointent toutes dans le sens d'une confusion et d'un affolement du sujet, elles sont, d'un même souffle, hantées par des images de destruction, dont plusieurs de démembrement. L'une d'entre elles est omniprésente et lance le récit : celle des milliers de vaches qui ont dû être abattues pour sauvegarder l'espèce de la contamination. Cette obsession met le lecteur sur la piste de la tentation eugéniste à laquelle cède le protagoniste. Mais la fuite du professeur s'accompagne d'une autre image tout aussi puissante et liée d'une manière encore plus forte à son effondrement intellectuel : celle de la "mise à feu de[s] cheveux de ses enfants" (*H*, 13). Ces enfants correspondent, il nous l'apprend plus tard, aux quatre-vingt-dix-sept pages "froissables et jetables" (*H*, 33) d'un manuscrit auquel le professeur consacrait jusque-là le meilleur de lui-même. Larry Tremblay reprend ici la métaphore célèbre créée par Ibsen dans *Hedda Gabler* : l'écriture, tellement partie de soi-même que c'en devient un enfant. Mais il fait subir à cette métaphore un glissement significatif, une double démultiplication. Le poème du professeur n'est plus seulement un enfant, mais plusieurs : premier aveu de morcellement. Et quand vient le temps d'y mettre le feu et de le détruire, il s'en prend à la chevelure de ses enfants, la partie du corps humain la plus fractionnée qui soit.

Cette image, qui témoigne d'un sujet en sérieuse perte d'équilibre mental, est renforcée par d'autres. La plus directe est sans doute celle où le professeur s'imagine en train de "donner son cours avec une ceinture d'explosifs autour de la ceinture". Image sur laquelle le héros s'appesantit : "Tu vois la scène ? Mes entrailles qui éclaboussent la classe... des innocents assassinés... une tragédie moderne..." (*H*, 24)

Il n'est pas indifférent à cet égard que les deux images soient liées à l'effondrement de la croyance du héros en le pouvoir de la littérature. La première atteste qu'il est désormais convaincu qu'il est inutile d'en écrire. La seconde corrobore qu'il lui semble plus inutile encore de chercher à enseigner la littérature à ses élèves. Perte d'idéal vécue deux fois par le protagoniste de *La hache* sous la forme fantasmée d'une blessure qu'il s'inflige à lui-même. Il est ainsi doublement atteint : dans son existence privée (abandon de son projet le plus intime) et dans la fonction sociale qu'il exerce. Sa profession apparaît ici comme la dernière forme de lien social d'un homme manifestement très seul, son discours ne le reliant à aucun ami ou proche, si l'on excepte celui vers qui il court. Mais cet éphèbe, dont le héros espère qu'il réponde à tous ses désirs, n'est-il pas, au fond, un pur produit de son imagination ?

Quoi qu'il en soit, le professeur ne réalise vraiment la portée de sa dislocation intellectuelle qu'au moment où il s'arrête près d'un petit parc "[p]our reprendre son souffle. Mon souffle et mes esprits", précise-t-il (*H*, 28). Ce moment correspond, à mon avis, à la deuxième partie de cette pièce-récit entamée dans une errance désordonnée. Or, dans ce parc, il y a une sculpture dans laquelle le protagoniste perçoit un ange : "L'ange, les ailes repliées sur lui, gelait dans sa nudité[5]. Je l'ai trouvée sympathique parce que je ressentais la même chose." (*H*, 28) Visiblement, le personnage s'identifie à cet ange, en particulier parce qu'à ce moment précis de sa course, il est aussi désemparé que lui. Par là, ils se ressemblent. En un mot, si l'ange est nu, recroquevillé, c'est que comme le professeur, il a tout perdu. Or, quelle est la réaction de celui-ci devant cet alter ego ? "Cette pâle statue luisant dans la ténèbre, explique-t-il, n'avait aucune chance avec moi. Je lui ai cassé la tête. Puis, avec sa tête, je lui ai cassé les ailes." (*H*, 30) Le protagoniste met donc délibérément en pièces le miroir que lui tend cette sculpture. Image de démembrement, mais de rupture aussi avec ce que cet homme a toujours été : un être doublement épris de littérature. Destruction de l'ancien moi, si l'on veut, pour faire la place à un moi nouveau, fondé sur de nouvelles valeurs, à savoir la logique eugéniste de l'être aimé, ce skinhead auprès duquel se retrouve tout aussitôt le professeur. La parenté est flagrante ici avec le héros du *Dragonfly of Chicoutimi* dont Paul Lefebvre souligne avec justesse qu'il s'agit d'un résistant épuisé, qui se laisse avaler par plus puissant que lui[6].

Cet anéantissement symbolique du sujet sonne la fin de l'errance et son abdication à la fois intellectuelle et affective. Il se livre extérieurement entier mais intérieurement déchiqueté au démembrement ultime, au pouvoir du plus fort, au triomphe de la force brute sur une conscience altérée et par conséquent sans défense. C'est que cette hache, en déliant les membres et les organes, a aussi permis au désir de s'immiscer dans une chair dont on a l'impression qu'elle était restée jusque-là intouchée. En voici un indice possible : "Lire, explique ce professeur autrefois zélé, c'était mon sacerdoce à moi". (*H*, 47)

Ce désir, refoulé jusque-là, semble-t-il, explique certainement en partie la rapidité de l'effondrement mental qui facilite[7], chez le professeur, le passage d'un cadre de pensée humaniste à une logique eugéniste. Transition de l'amour d'une humanité imparfaite à une pensée du corps parfait et performant ; corps le plus digne de désir, paraît comprendre le héros, dans une société aussi axée sur l'image que la nôtre. Dès lors, la destruction de cet être faillible est d'autant plus inévitable qu'il se soumet lui-même à une logique qui l'exclut. Premièrement, il sait qu'il n'est pas beau : "J'ai l'air normal, non ? Pas trop repoussant… Un petit peu quand même, non ?" (*H*, 33) Deuxièmement, il n'est pas normal aux yeux de celui qu'il admire, puisqu'il est homosexuel. Il en convient en ces termes quand il fait remarquer à l'étudiant que "des jeunes comme toi trouvent du plaisir à s'attaquer à des hommes comme moi". (*H*, 37)

Examinons en terminant une des dernières images de *La hache*, alors que le protagoniste incite le "petit truand égaré dans la grande maison de la connaissance" (*H*, 33) à le démembrer. Je le cite :

> Je suis venu chez toi avec mon troupeau de vaches contaminées pour t'aider à faire ce que tu veux faire, parce qu'il est toujours plus facile de tuer des milliers d'hommes qu'un seul, parce que deux hommes qui se font face finissent immanquablement par se ressembler et alors le doute s'installe et la hache hésite. (*H*, 62)

Il poursuit avec une image étonnante : "Aussi regarde-moi comme si j'étais multiple, que je possédais de nombreuses têtes ignobles et que je n'avais rien d'un être conforme à ton image." (*H*, 62) Le recours à l'archétype de la méduse pour convaincre le jeune skinhead de le démembrer est fort, car il évoque la fragmentation du moi et un groupe social dans son ensemble : les littéraires, êtres inadaptés et improductifs, dont il faut débarrasser la société séance tenante, à coups de hache.

La pièce-récit de Tremblay se termine ainsi quelques secondes plus tard : "Je suis prêt à disparaître dans ton regard. Regarde, je pose ta hache ici. Et moi… Moi, je cesse de courir." (*H*, 64) Ce dénouement laisse le public dans l'ambiguïté. Que faut-il retenir de cette fin en forme de tableau d'exécution ? Le courage du héros qui meurt, non pour ses idées, mais pour les idées d'un autre, qui ont fini par le contaminer ? La lucidité du héros qui reconnaît l'inutilité et l'inefficacité de la littérature ? Le désarroi et la déroute d'un intellectuel anéanti par le règne de la bêtise et le déchaînement du désir ? La difficulté pour un littéraire de résister au mépris dans lequel est tenue la littérature à l'extérieur du cercle restreint où elle est confinée ? Le pitoyable désir de tant d'intellectuels d'être aimés par ceux et celles qui les haïssent, au point d'en modifier radicalement leurs idéaux ?

Devant tant de possibilités, il est difficile de trancher. Les figures du démembrement qui parsèment *La hache* m'incitent néanmoins à croire que l'horreur, ou tout au moins la peur, est le sentiment dominant que Larry Tremblay veut produire chez le spectateur. Horreur devant cet exemple de faux enseignant, de faux écrivain qui est à ranger aux côtés des faux génies, des savants fous et des autres êtres désaxés qui peuplent le théâtre de Larry Tremblay[8]. En fait, "fêlés" serait sans doute un qualificatif plus juste. En outre, l'horreur et l'humaine responsabilité de cette horreur paraissent ici intimement liées, je dirais même indissociables.

En empruntant aux contes, aux légendes et à la mythologie, Larry Tremblay renoue, par conséquent, avec les peurs ancestrales dont il modifie la configuration au bénéfice des lecteurs et des spectateurs d'aujourd'hui. Il poursuit à cet égard le travail des surréalistes et d'un poète comme Apollinaire qui a pu écrire : "Le conte est ma grande chose." Ce faisant, Larry Tremblay opte pour un imaginaire instable au lieu de s'en tenir à une mythologie donnée. Cela ne signifie pas qu'un principe unificateur ne peut pas intervenir en dernière instance pour imposer une direction aux mille et une circonvolutions du récit. Dans *La hache*, par exemple, la légende de l'ange exterminateur possède cette fonction. Mais le pouvoir de cet ange est bien réduit puisqu'il n'a nul besoin de pourchasser une victime qui vient s'offrir à lui, déjà très mal en point. Aussi la cohérence chez Tremblay n'est-elle attribuable ni à l'unité générique du texte ni à une mythologie particulière, ses œuvres prouvant au contraire que, pour lui, plusieurs sources d'inspiration valent mieux qu'une. Cette position est différente de celle d'un Nothrop Frye pour qui, sur le plan de la valeur littéraire, le mythe l'emporte sur le conte :

> In the first place, myths stick together to form a mythology, whereas folk tales simply interchange themes and motifs. Thus folk tales can hardly develop characters much beyond the most skeletal types of trickster and ogre and clever riddle-guesser and the like, whereas myths produce gods or cultic heroes who have some permanence, along with a personality distinctive enough to have statues made of them and hymns addressed to them.[9]

À l'opposé, Tremblay prise l'instabilité et aime entremêler les motifs et les figures disparates du conte et de la mythologie. Il y trouve une liberté de narration absolue permettant au désir et à la violence de se déployer pratiquement sans contraintes. Cependant, cette instabilité narrative n'est pas seulement source de libération et de jubilation. Tandis qu'elle produit du plaisir, de la surprise et de la frayeur pour le destinataire, le délire verbal du "conteur", sa dérive dans l'irrationnel, se révèle en contrepartie le symptôme d'un traumatisme profond. Le flot incontrôlé d'images qui hante le héros témoigne le plus souvent de son incapacité à s'adapter au réel et à l'accepter dans son imperfection intrinsèque. Le malaise entraîne chez lui une ou plusieurs métamorphoses, menant à un déni encore plus grand de la réalité, qui n'arrange guère les choses. Il se dirige d'autant plus sûrement vers l'éclatement intérieur, la fragmentation, l'émiettement qu'une catastrophe – le plus souvent, une ultime confrontation avec le réel – l'attend en bout de course.

En somme, les drames de Tremblay comportent presque tous des tentatives de libération par la parole qui échouent ; chez ceux et celles qui se racontent, la parole ne fait jamais que creuser l'écart et qu'engendrer la confusion entre ce qu'ils imaginent comme récit de substitution et ce qu'ils "vivent" ou "ont vécu" à un autre niveau. Par exemple, même si le professeur de *La hache* vient l'en supplier, rien n'indique que le skinhead mettra fin à sa déroute en lui tranchant la tête. D'une manière similaire, Guillaume, le supposé *Génie de la rue Drolet*, continue de s'aveugler sur son talent après que sa jumelle Guylaine eût déssillé les yeux de sa femme, ce qui provoque non seulement le départ de celle-ci, mais aussi la destruction des sculptures de son mari. Dans *Téléroman*, le chorégraphe Christophe, tout aussi incapable de composer avec la médiocrité de sa troupe, ne survit pas, quant à lui, à l'épreuve de la première de *Cheval*. La fantasmagorie que Jérémie invente sur les mauvais traitements que lui a fait subir sa mère ne le sauve pas davantage du suicide dans *Les mains bleues*, pas plus que, dans *Le ventriloque*, les multiples réécritures de son enfance n'épargnent à Parker d'être assailli par les reproches de sa mère à son endroit parce qu'il joue avec des poupées.

Le merveilleux, accompagné de ses métamorphoses et de ses transfigurations, apparaît dans le théâtre de Larry Tremblay comme un antidote aux déceptions ressenties par des êtres qui parviennent difficilement à se réaliser à cause de leur différence. Plusieurs optent alors pour des "régressions dans des merveilleux de type superstitieux"[10] avant tout parce que cette issue comporte l'insigne avantage, de leur point de vue, d'échapper temporairement au mal-être dont ils sont captifs. Ils deviennent en quelque sorte de nouveaux monstres dont Tremblay dévoile cependant les failles et la détresse, même s'ils se drapent dans des discours échevelés et invraisemblables. Grâce aux images violentes et au merveilleux auxquels il recourt, il confère immanquablement à des drames autrement ordinaires une démesure, une splendeur poétique et, à l'occasion, une drôlerie qui les magnifient et rendent ses personnages mémorables. Autrement dit, Larry Tremblay s'inspire des conteurs d'autrefois et de bien d'autres sources pour fabriquer avec les moyens d'aujourd'hui des histoires à dormir debout qui n'ont rien à envier en violence, en péripétie et en pittoresque à celles qui ont marqué notre enfance, à la différence près que ni un trône ni un mariage[11] n'attendent ses êtres en déroute au bout des aventures mouvementées qu'au surplus, l'auteur leur laisse le soin de raconter.

Notes :

1- Larry Tremblay, "La hache", dans *Piercing*, Paris, Gallimard, 2006, p. 56. Dorénavant désigné à l'aide du sigle (*H*), suivi du numéro de la page.

2- Nancy Kline Piore, "Fragments of a Discourse on Apollinaire's Fiction: Amputation/Remembrance/Ubiquity", *Dada/Surrealism*, nos 10-11, 1982, p. 60.

3- Marie Labrecque, "La part la plus sombre de l'âme humaine, mise en lumière", Montréal, *Le Devoir*, 6 mai 2006, p. A9.

4- Le professeur décrit ainsi le travail qu'il a demandé : "Un jour, j'ai eu l'idée de proposer à mes étudiants de répondre à cette question : "Si vous étiez un livre, lequel seriez-vous ? Justifiez votre choix." (*H*, 51)

5- Cet ange évoque, me semble-t-il, une sculpture réelle bien connue des Montréalais qui est située à l'angle des rues Sherbrooke et Saint-Denis. Le sujet n'en est d'ailleurs pas un ange à proprement parler, mais un être aux formes généreuses, replié sur lui-même à cause du poids du monde qu'il porte littéralement sur les épaules, et dont la blancheur évoque métaphoriquement une quête de pureté. *Le Malheureux magnifique* de Pierryves Angers fait partie de la collection d'art public de la Ville de Montréal et date de 1972. Sur son site, la ville indique que cette sculpture symbolise "le destin parfois trop lourd de l'être humain, partagé qu'il est entre les soucis et la volonté de survivre en restant sourd à toutes les pressions extérieures".

6- "À l'intérieur de chaque résistant, écrit-il dans la postface du *Dragonfly*, il y a une petite voix qui le supplie de se fondre enfin à cette puissance qui l'écrase." Paul Lefebvre, "Postface", dans Larry Tremblay, *The Dragonfly of Chicoutimi*, Montréal, Les herbes rouges, 1995, p. 60.

7- Ce passage en témoigne : "Parce que, comme je te l'ai dit, j'ai commencé à me désagréger dès que je t'ai aperçu dans ma classe. Tout a commencé à s'embrouiller." (*H*, 50)

8- À titre d'exemples, citons le supposé *Génie de la rue Drolet*, dont l'imposture est démasquée par sa sœur Guylaine, le Docteur Limestone du *Ventriloque* dont la méthode analytique est plus que douteuse ainsi que, sur un mode plus léger, le chorégraphe de "Cheval" de *Téléroman* et les savants fous de *Panda Panda* qui s'efforcent de dénoncer les méfaits du rire.

9- Northrop Frye, *The Critical Path. An Essay on the Social Context of Literary Criticism*, Bloomington, Indiana University Press, 1973, p. 35.

10- Marc Soriano, *Les contes de Perrault, Culture savante et traditions populaires*, Paris, Gallimard, 1977, p. 475.

11- "Mariage et montée sur le trône" constituent l'étape conclusive du conte de fées type, selon Vladimir Propp, *Morphologie du conte*, Paris, coll. "Point", Seuil, 1970.

Couper dans le vif :
interruptions et transmissions dans *La hache*

Catherine MAVRIKAKIS

Le texte qui suit se veut ludique, peut-être même théâtral. J'y opère une reprise des mots de Larry Tremblay dans La hache, *reprise qui me permet d'effectuer ici un travail de dramatisation des concepts et des affects à l'œuvre dans le récit de Tremblay. La répétition et le déplacement tentent alors de favoriser une écoute de ce qui se joue dans* La hache *en ce qui concerne la filiation et la transmission du professeur à l'élève, d'une génération à une autre.*

J'ai tenté de répondre, en toute amitié, à l'invitation de mon collègue Gilbert David qui me demandait de participer à l'Atelier Tremblay. De cette invitation, de mes hésitations et de mon ignorance bien réelle du théâtre et de la critique théâtrale, j'ai créé une fiction que Gilbert saura, j'espère, me pardonner. J'ai pensé que Gilbert David ne m'avait pas invitée à son colloque pour mon expertise en théâtre, mais pour autre chose. C'est à cette autre chose que le texte qui suit tente de répondre, dans ses imperfections et ses mises en scène mensongères, en trompe-l'œil. Je ne sais toujours pas pourquoi Gilbert a tenu à ce que je sois là et l'écriture de ce texte ne légitime peut-être pas tout à fait cette demande.

En guise d'excuse, j'avancerai que les mots que je livre ici sont empruntés à Larry Tremblay. Si le lecteur y trouve quelque justesse, ou même quelque beauté, qu'il se procure La hache[1], *dans l'édition Gallimard, où il pourra savourer davantage le plaisir de lire Tremblay, sans interférence, sans coupure et sans parasitage.*

Les mots que je livre ici sont destinés à Gilbert David[2], à qui je fais un clin d'œil, lui devenu, malgré lui, malgré les faits, personnage d'une histoire avec laquelle il n'a rien à faire. J'ai envie d'écrire ceci, dans la bonne foi qui caractérise mes écrits:

Note de l'auteur : "Les personnages et les situations de ce récit étant purement fictifs, toute ressemblance avec des personnes ou des situations existantes ou ayant existé ne saurait être que fortuite."

En fait, seul le texte de Larry Tremblay est vrai.

Si je me permets ici de prendre la parole sur l'oeuvre de Larry Tremblay, alors que je connais fort peu de choses à propos de Tremblay, de la critique théâtrale et plus généralement de toute pensée sur le théâtre, et que celui ou celle qui me traiterait d'imposteur, en me lançant la pierre, aurait tout à fait raison... si je me permets donc de prendre la parole, c'est bien parce que Gilbert David, ici présent en témoin, juge et accusé m'a demandé de venir parler de *La hache*. Par amitié pour lui j'ai accepté, sachant d'avance que s'il me destinait ce texte, il y avait là quelque chose pour moi à penser, à me mettre sous la dent intellectuelle. Gilbert n'est pas du genre à m'inviter à sa journée, la journée Tremblay, à l'espace Go, journée qu'il prépare depuis bien longtemps et qui a lieu aujourd'hui même, pour que je lui gâche, par ma bêtise et mon ignorance crasse du théâtre, dont je ne me cache même pas et dont Gilbert ne peut être que pleinement conscient, cet atelier auquel il tient (il ne faut pas en douter), bien que ma présence pourrait vous donner l'impression contraire.

C'est donc au lieu où Gilbert David m'assigne à la parole, me contraint à la réflexion, dans mon travail de béotienne que je me permettrai de dire quelque chose aujourd'hui sur *La hache* de Larry Tremblay, sachant avec Gilbert qu'il y a dans le texte de Tremblay "quelque chose qui me concerne", qui me demande d'être ruminé. "Ruminer"... Si j'ai prononcé ici le mot "ruminer", c'est bien parce qu'il a souvent été question de vaches entre Gilbert et moi depuis cette invitation à venir parler ici. De vaches, de massacres, de destructions, de génocides et de la condition humaine et inhumaine[3]. Je me donne le droit de raconter ici très scrupuleusement et avec force détails comment les choses se sont passées.

"J'ai pensé à toi", m'a dit Gilbert soudain là devant mon appartement au milieu de la nuit. Il tambourinait le petit marteau contre le fer de ma porte depuis plus de quinze minutes, quand je lui ouvris, ébaubie, mal réveillée après l'avoir entendu dire : "C'est moi, Catherine, Gilbert, ton collègue, ouvre…" Comme si cela pouvait être très rassurant à trois heures du matin ! À peine avait-il mis les pieds dans mon hall d'entrée que Gilbert continuait sans prêter attention à ma surprise ou encore à ma mauvaise humeur, et dieu sait que je puis être de mauvaise humeur, quand on me réveille en plein milieu de la nuit : "Je pense que tu vas aimer *La hache* et que tu auras quelque chose à apporter à mon spectacle-atelier", me dit-il, péremptoire. "Et puis, j'ai besoin de toi parce que toi, murmura-t-il, les yeux exorbités, l'écume aux lèvres, tu es comme moi, tu es sur le bord de devenir folle avec tout cela, je veux dire l'enseignement, les étudiants, le reste, et le reste. J'ai besoin de toi et tu vas m'aider à exécuter mon plan. Je t'explique…". Dans un premier temps, je fus évidemment fort étonnée que Gilbert me fasse une demande en pleine nuit, après avoir traversé la ville pour se rendre chez moi, moi l'ignare du théâtre, la folle de l'enseignement. Puis, dans un deuxième temps, malgré l'heure indue et mon coeur qui battait la chamade, puisque je venais d'être tirée de mon sommeil de façon légèrement inattendue et un peu violente, lorsque j'eus saisi ce dont il s'agissait, je fus très touchée qu'un collègue que j'affectionne tout particulièrement et dont j'aime beaucoup le travail me fasse cette invitation et me destine quelque chose qu'il me faudra aujourd'hui nommer. Comme quoi, il faut croire que j'étais sonnée…

Gilbert est donc entré dans mon appartement cette nuit d'octobre où il pleuvait fort, "l'orage s'était abattu sur la ville" (*H*, 21), pour me demander de venir le 30 mars 2007 à son atelier. J'ai été cette nuit-là dans l'incapacité de lui dire non. J'avais tort. Il faisait un temps à ne pas mettre un chat dehors, j'entendais la pluie tomber drue sur mon toit[4] et Gilbert, en fait, ne s'interrompait pas, n'arrêtait pas le flot de ses mots, il monologuait pour me convaincre, en commençant à me dire qu'il avait pensé aux vaches et à leur destruction sur le chemin qui le menait à mon appartement. "Tu m'attendais, me disait aussi Gilbert. J'ai frappé à ta porte. Tu n'as pas paru surprise. Tu m'attendais, c'est certain. Tu m'attendais ? Tu savais que j'allais venir." (*H*, 54) J'aurais voulu répliquer, dire quelque chose : produire un signe d'approbation ou réfuter les hypothèses, mais Gilbert ne me laissait pas en placer une. Son discours était sans aucune coupure, un bloc de chair sanguinolente, une hémorragie. Aux différents moments où je le voyais reprendre son souffle, j'espérais pouvoir l'interrompre, l'arrêter de s'épancher là sur mon tapis et lui dire mon sentiment quant à ma venue dans son atelier et à sa présence à trois heures trente-trois du matin, dans mon salon. Mais il n'y avait aucune pause possible dans sa parole, aucun arrêt, aucun entracte dans la prolifération de ses mots. "Oh la vache !, que je me suis dit, C'est qu'il ne va pas trop bien, Gilbert. Il a l'air d'un animal un peu bovin, avec ses yeux injectés de sang". Je ne pouvais que l'écouter dans l'empathie, moi-même au bord de la dépression nerveuse à cause précisément de la nature de mon travail, de l'enseignement, des cours que je donne, des colloques que j'accumule, des étudiants oui, de la fatigue qui est bien réelle et dont les professeurs ne prennent même plus la mesure.

Gilbert, tout comme un personnage de Larry Tremblay, mais je ne le savais pas encore, "avait traversé des quartiers entiers pour venir à ma rencontre, il avait marché les mains crispées dans les poches, d'un pas rapide pour venir me voir et avait rencontré peu de gens sur son chemin, à cette heure de la nuit. Des autos, oui, il en avait croisé mais peu de gens, et quand il en croisait, il baissait les yeux et les enviait parce qu'il devinait à leur allure qu'ils savaient, eux, où leurs pas les conduisaient. Gilbert avait marché sans reprendre son souffle, se perdant dans la ville au point qu'il ne la reconnaissait plus". (*H*, 13*)* Il avait l'air égaré, saoul, d'un professeur sur le point de déjanter, mais j'en connais bien d'autres. Il y en a tant. Je me disais à moi-même qu'il était vrai que cette session, celle alors de l'automne, avait été particulièrement dure et que franchement, pour le dire simplement, nous faisons un fichu métier !

Néanmoins je me demandais surtout pourquoi Gilbert ne pouvait pas, surtout pas, s'arrêter de parler. C'était plus fort que lui. Il me disait que ce serait son dernier colloque, que c'était fini, qu'il ne pouvait plus désormais travailler, qu'il fallait que je vienne moi aussi assister à sa dernière représentation le 30 mars 2007 et l'aider à en finir, que je coupe dans le gras, que je l'aide à trancher. "Il m'avouait qu'il n'avait plus le courage de se retrouver debout devant des étudiants, ou des collègues, agglutinés" (*H*, 13), qu'il s'était donné la date du 30 mars pour en finir, et qu'il y parviendrait si je l'aidais. J'avais envie de lui dire : "Stop, silence, on coupe ! La ferme ! Meuh, meuh… Tais toi ! Gilbert, je ne veux pas entendre. Il est presque quatre heures du matin, j'ai cours demain à huit heures trente et toi aussi. Il va falloir qu'on y aille, qu'on continue la comédie. Un peu plus, un peu moins à nos âges, mon ami, franchement quelle importance ? Pourquoi arrêter, dire stop ? Un autre petit tour de piste, cela n'est pas bien grave. Personne n'en fera de cas. La retraite approche". Et puis combien de fois ai-je voulu quitter l'enseignement, en finir avec le travail de transmission destiné à ceux qui viennent, à ceux qui viendront et je ne l'ai pas fait, pas encore fait, je mourrai mais je ne l'aurai pas fait, allez… Et personne ne s'en plaindra.

Moi aussi j'ai eu envie, j'ai envie, comme toi, de "donner mon cours" ou une communication quelconque "avec une ceinture d'explosifs autour de la taille, de faire tout sauter en citant Dostoïevski et de crever au milieu de mes étudiants en hurlant : Vive la littérature !", vive la liberté d'expression ! (*H*, 24) Moi aussi, Gilbert, mais je ne suis pas venue t'en parler en plein milieu de la nuit. Est-ce à moi, à moi, Gilbert, est-ce aux étudiants de recevoir cette incapacité que tu as à en finir avec l'enseignement, la littérature, le théâtre, est-ce à moi de couper, de faire en sorte que tu te sortes du marasme littéraire, intellectuel dans lequel nous sommes plongés, nous professeurs de littérature ? Mais je me taisais, je ne disais rien, car il n'y avait rien à faire, le flux verbal ne cessait, j'étais noyée dans le discours grandiloquent de Gilbert, alors que la pluie submergeait la ville. Je me taisais espérant que mon silence porterait, qu'en lui s'incarnerait quelque chose de la coupure de la langue, que Gilbert entendrait en lui un arrêt, une entaille à son délire.

Cette nuit-là, Gilbert partit à cinq heures trente du matin, après avoir parlé près de deux heures sans aucune interruption. Il me laissa un sac dans lequel il y avait une hache[5]. Je n'ai pas souvent de cadeaux de mes collègues, Gilbert peut en témoigner, et j'étais contente, je l'avoue d'avoir une hache. Je n'en avais pas. Cela peut toujours être utile pour couper ici et là. C'est un objet un tantinet phallique pour moi… Je me garderai d'y chercher un symbole, Gilbert, mais j'ai déjà eu pire comme présent. Je l'acceptais, heureuse… Gilbert me dit en fermant la porte : "Lis *La hache*, tu comprendras. Lis *La hache*."

Nous étions tous les deux à nos cours respectifs à huit heures trente, à l'Université de Montréal. Je n'avais pas encore prononcé un mot quand je refermai la porte de mon appartement mais j'avais accepté tacitement de lire *La hache*, de voir la pièce sur DVD et de comprendre ce que Gilbert m'avait adressé cette nuit-là, d'y répondre, oui, y répondre, mais à ma façon.

J'ai lu *La hache* et je me suis dit mais il ne va pas bien du tout l'ami Gilbert. Qu'est-ce qu'il veut que je foute avec cette hache, que je le découpe en morceaux, que je joue à *The Shining*[6], qui reste, il faut bien que je le dise, mon film préféré ? Et me voilà en lisant *La hache* en train de me prendre pour Jack Nicholson et de penser à moi avec la hache de Gilbert, dans les corridors d'un hôtel, d'une université… C'est qu'il me fait délirer le Gilbert et "je suis mieux de faire attention", que je me disais…

J'ai décidé néanmoins de venir et de lui répondre à mon ami Gilbert, aujourd'hui même, mais oui, à ma façon puisque tu avais raison, Gilbert, il y a quelque chose dans *La hache* pour moi, quelque chose de mon désir d'en finir avec l'enseignement, la littérature, les étudiants et le reste. Et pourtant il y a aussi là quelque chose d'un désir de ne pas couper, de continuer le flot ininterrompu des livres, de la parole. Tu as remarqué, Gilbert, comment le prof est bavard dans *La hache*, comment on ne peut en placer une…

Je vais commencer par quelques considérations sur la littérature et la société qui iront ainsi : en lisant *La hache*, tu vois Gilbert, ce qui m'a fait le plus mal, c'est une hypothèse saugrenue qui m'a traversé l'esprit et que je te livre ici.

Si la littérature que nous avons toujours crue dans sa modernité parricide, voyant dans la filiation et l'avènement à la parole une façon de se dés-inscrire de la lignée des pères, de créer une rupture, une coupure à la hache ou même à la tronçonneuse avec le passé, comme l'ont montré Meschonnic[7] et tant d'autres dans des livres sur la modernité, si la littérature donc était devenue "filicide", infanticide dans son actualité et sa contemporanéité et qu'elle venait seulement apporter la destruction partout où elle passe, dans un fantasme digne de Cronos qui dévore ses enfants, quelle conclusion pourrions-nous en tirer ? Plus dramatiquement, si l'enseignement de la littérature en ces jours encore premiers et jeunes du troisième millénaire n'était autre qu'un désir de destruction de ce qui peut advenir, des étudiants et de toute lignée. Ce sont à mon avis les enjeux capitaux du texte *La hache* de Larry Tremblay que Gilbert m'a destiné sans que je sache en cette nuit d'octobre, orageuse, encore pourquoi. Or, ce qu'il y a d'absolument brillant dans le texte de Tremblay et de totalement dérangeant pour quelqu'un qui, comme moi, s'interroge sur cette rage "filicide", infanticide dans la société moderne et particulièrement dans la culture québécoise, ici même, c'est que le meurtre de l'étudiant, sa mise à mort est travestie dans *La hache* par et dans la mise à mort du professeur. Celui-ci désabusé, impuissant, incapable depuis tant d'années de produire de la littérature, rêvant de passer à l'acte littéraire, tout en ne rencontrant jamais autre chose que sa propre incompétence, son impuissance, rêve de faire quelque chose, de mettre fin à sa procrastination et à son imposture. "Le professeur cette nuit-là, décide de mettre le feu aux malheureuses quatre-vingt-dix-sept pages qu'il écrit depuis vingt-sept ans" (*H*, 33), de créer quelque chose comme un acte, et demande à l'étudiant de le mettre à mort, parce que lui-même n'est pas vraiment capable de mener à terme son propre suicide, sa propre fatigue culturelle. Le désir qu'il éprouve pour cet étudiant a réveillé en lui un désir d'action, lui a permis de sortir de sa somnolence tranquille, si tranquille, à peine productrice, dans laquelle il s'est installé durant toute sa carrière. La forme même par laquelle se manifeste le désir est énonçable comme suicidaire ou porteuse de mort. Le prof désire être tranché par le désir : "Tes yeux, dit-il au jeune homme, je vais plonger dedans et frissonner jusqu'à la disparition. Tu es si poreux, si friable et pourtant je détecte une odeur d'acier qui s'échappe de ta peau. Si je posais mes lèvres, sur les tiennes, le tranchant de ton sourire me couperait peut-être jusqu'au sang" (*H*, 43). Le désir a réveillé en lui la nécessité de faire quelque chose, de mettre un terme à ses tergiversations, mais cette fin enfin imaginée, ce "passer à autre chose" se donne sur le mode d'un passage à l'acte, d'un "en finir avec soi" qui doit entraîner dans sa chute non seulement soi-même, mais l'autre, friable et poreux. Il faut imaginer Hubert Aquin demandant à ses fils de lui charger le revolver et de le lui appuyer contre la tempe, sous prétexte qu'ils ont eu envie de tuer leur père. Non, franchement Aquin s'est tué tout seul, comme un grand, mais il avait fait une œuvre…

Donc première considération sur la littérature : quelle est la place de l'infanticide au sens large dans la littérature actuelle, dans l'enseignement actuel et n'y a-t-il pas dans *La hache* un désir de mise à mort de la génération qui vient, un désir enfoui, caché, qui se donne hypocritement pour une simple réaction au désir de mort exprimé par les jeunes vus ici comme destructeurs ? Ce désir collectif, social, de mise à mort des vaches, d'extermination, bien qu'il heurte le professeur cette nuit-là, est en quelque sorte son propre fantasme d'en finir avec tout ce qui pourrait être autre que la procrastination. Mais faut-il tuer les vaches ou les profs ou tous les ruminants pour autant ? Faut-il s'offrir en sacrifice ou pousser les autres au meurtre ?

Or, et c'est la deuxième question que je poserai ici et que pose *La hache* en ce qui concerne la littérature : quelle doit être l'efficacité des livres et par là du littéraire ? Je cite *La hache* au moment où le professeur s'adresse à l'étudiant chez lequel il se rend en plein milieu de la nuit : "J'ai voulu que la littérature soit efficace au point qu'elle puisse assassiner. C'est ce qu'elle fait si elle n'a aucune pensée mais que des idées en forme de hache. On t'a volé ta jeunesse avec des idées en forme de hache, de très vieilles idées qui donnent à ta beauté une odeur d'acier et à ton sourire le tranchant d'une lame." (*H*, 60-61) Le professeur ajoutera : "Le mal, c'est la pureté avec sa hache." (*H*, 61) S'il y a ici dénonciation de l'acte que doit produire la littérature, s'il y a ici une mise en garde d'une réalité performative des mots, il n'en reste pas moins que le texte *La hache* est contaminé par cette idée de pureté, qu'il force le passage à l'action et à l'acte au sens psychanalytique du terme, où le fantasme se doit d'être réalisé. Le professeur, tout en accusant cette idée d'une littérature qui saurait trancher, assassiner, en arrive à désirer le tranchant du désir, et ne peut faire en sorte que la leçon qu'il pourrait infliger symboliquement au jeune homme ne se produise pas réellement dans la mort. La scène imaginaire, pédagogique, qui veut montrer que le passage à l'acte par la littérature est de l'ordre de la destruction, ne peut avoir lieu que dans la réalité de la démonstration, dans la mort. En ce sens, elle perd toute sa valeur pédagogique et entraîne les protagonistes à tuer ou à être tué. Désir ultime.

Si je suis venue aujourd'hui ici, moi aussi, pour parler sans interruption (comme c'est le cas dans l'enseignement et les colloques et dans *La hache*, et l'on n'y prête même plus attention), ce n'est pas pour savoir si vous êtes capables de m'interrompre, de m'abattre, comme on abat les vaches folles. Cela je ne le crains même plus. Ce n'est pas davantage pour vous pousser à faire ce que je ne serais pas tout à fait capable de faire, d'en finir avec moi, avec l'enseignement, les colloques, la parole folle, comme une vache. Je ne suis pas, je le dis tout de suite, le personnage du professeur, de l'enseignant dans *La hache*, qui fait demande à autrui d'achever ce qu'il n'arrive pas à finir, de couper dans le vif d'un sujet qui a des fantasmes de fin, qui porte des envies irrépréhensibles de mises en scène de sa propre mort en classe, des idées de se faire sauter le caisson une fois pour toutes, mais qui n'est pas à même de simplement couper dans son monologue, de performer sur soi une quelconque castration. Cette nuit-là, la nuit imaginaire d'octobre, celle où le professeur de *La hache* va chez l'étudiant, celle où Gilbert, le professeur fictif de l'Université de Montréal, va chez Catherine, sa collègue-personnage, cette nuit là, vécue irrémédiablement comme celle qui permet d'en finir, est porteuse d'une demande de castration que l'autre, celui qui reçoit la visite, serait à même de mener à terme. Si le professeur de *La hache* sait d'avance qu'il ne pourra jouer la comédie plus longtemps, c'est qu'il a commencé à en finir[8], certes, mais surtout qu'il vient voir l'autre pour lui demander de trancher là où il sait qu'il ne le peut pas. Il s'agit ici de prêter à l'autre le pouvoir qu'on est incapable de faire advenir à soi. Le théâtre, en fait, pose la question d'une réalisation de la littérature, mais tout en restant littérature. Je pense que le passage de la nouvelle *La hache* à la pièce *La hache* porte en soi le problème du passage à l'acte, mais ici le passage à l'acte est conçu comme simulacre du passage à l'acte, comme théâtre, comme c'est aussi le cas dans le dispositif du divan de la scène psychanalytique.

Or, j'ai été assez étonnée de voir dans la mise en scène de *La hache* à moi destinée par Gilbert, l'étudiant prendre la hache et la scène plonger dans le noir au moment où on s'apprête à abattre le professeur. Il y aurait dans la demande ici d'être mis à mort (demande qui reste quand même davantage dans la nouvelle de Tremblay de l'ordre d'un non-assouvi, ce qui n'est pas tout à fait le cas dans la pièce), une perversion sadique, proposée comme masochiste, des plus dangereuses. Ce masochisme transformé en sadisme, en volonté de puissance, on le retrouve pas exemple dans une phrase comme : "Enfile-les, fais-moi cette faveur, mets tes bottes" (*H*, 37), où le prof à la fois supplie et ordonne, en faux masochiste qu'il est. S'il y a fantasme pour l'étudiant de tuer son professeur ou encore sa professeure, une volonté de l'abattre, la première chose qui doit être comprise, dans la tâche de l'enseignant, celle de la parole, de la littérature, c'est que le plan imaginaire est justement imaginaire, et qu'il n'y a une leçon à donner que dans la parole. Il ne faut pas répondre à la demande des étudiants ou étudiantes. Ne pas répondre !

On aura beau m'envoyer une hache en guise de copie, une bordée d'injures ou encore me montrer un désir de me voir abattre mes étudiants en réalisant leur désir de m'abattre, je ne les abattrai pas en les laissant m'abattre, en les poussant perversement à le faire. Je prends au sérieux leur désir, mais le désir est littérature, est théâtre. C'est de la place du fantasme dont il est ici question, et de la place du littéraire, du théâtral, du pédagogique, qui a tous les droits de parole, parce qu'il a *seulement* le droit de parole.

Je ferai ici une petite digression. Dans "Un cas de masochisme pervers", le psychanalyste français Michel de M'Uzan[9] raconte sa rencontre étrange avec un homme, Monsieur M., qui vient le voir afin de lui raconter son histoire. Monsieur M. ne vient pas se faire psychanalyser chez de M'Uzan, il veut au contraire raconter lors de deux entretiens son masochisme, absolument pas moral ou psychologique mais purement corporel. Monsieur M. jouit des souffrances infligées à son corps. Raconter la longue liste des sévices et montrer son corps triomphant au psychanalyste fait partie de cette fantasmatique d'une narration de la toute-puissance de Monsieur M. sur ce qu'il peut sentir ou encore éprouver. Vous me voyez peut-être venir. Je dis qu'il y a quelque chose de Monsieur M. dans le personnage de *La hache*, du masochiste qui jouit de l'importance de sa parole souffrante, de son humiliation contemporaine, mais qui en cela reste un sadique qui inflige à l'autre le spectacle de sa douleur. Celui qui est capable de montrer sa souffrance jusqu'au bout gagne à tout coup. Nous sommes ici dans un social où le sadique n'existe plus que comme possible masochiste pervers. Or, le masochiste qu'est le prof a besoin de s'inventer un sadique pour jouir, a besoin de quelqu'un qui lui coupera la gorge ou qui lui donnera un baiser tranchant, comme le désir. Et c'est la loi que recherche le personnage du professeur de *La hache*, la loi dure, bandante, coupante du désir qu'il ne peut lui-même incarner, malgré sa profession. Or, cette loi, cette loi qui trancherait, elle ne semble exister socialement que sur le mode génocidaire ou sur le mode de l'abattage massif des vaches. Le prof peut raconter sa douleur en terrifiant son interlocuteur, mais il espère qu'il a trouvé quelqu'un qui ne saura s'émouvoir devant ce qu'il dit, un sadique, un vrai. Le prof ne dit-il pas à son jeune interlocuteur : " Tu es bien celui que je crois, celui à qui je peux dire que mes enfants brûlent sans que son visage ne montre aucun signe d'inquiétude" (*H*, 53) ? Il espère avoir trouvé un maître, lui qui ne peut faire la leçon que dans la mort. Il espère avoir trouvé quelqu'un qui va lui faire mal, vraiment mal, comme il le désire. Or pour ce faire, se faire mal, le prof est obligé de pousser l'autre à le tuer et d'en faire un sadique. Mais bien sûr, malgré sa mise en scène, c'est le professeur masochiste qui reste le sadique, c'est lui qui redonne à l'autre sa hache, qui oblige l'autre à prendre le fantasme pour la réalité. C'est lui qui méprise l'étudiant en le traitant de "médiocre, d'insignifiant", de "truand" (*H*, 37), espérant avoir toujours le dessus sur le jeune homme, en décidant finalement de sa propre mort.

Le vrai masochiste pervers se retourne en pur sadique qui jouit de son pouvoir d'avoir su conduire l'autre à le tuer, d'avoir mené l'autre à son propre sadisme.

Vous connaissez sûrement cette blague de psychanalystes qui veut qu'à un masochiste qui demande à un maître (le mot n'est pas innocent) de le frapper, le maître, le vrai, réponde : "non". Tout simplement non, ainsi comblant non pas la demande consciente d'être frappé, mais la demande inconsciente beaucoup plus grande d'être dominé, castré.

Si je suis venue aujourd'hui, c'est pour ne pas répondre à la demande de mon Gilbert fictif, au diktat d'en finir pour lui et avec lui, même si je rêve d'abattre des vaches professeurs ou des professeurs vaches comme Gilbert ou comme moi. Je le dis, Gilbert le sait, je rêve même d'arbres à abattre au Québec comme le faisait Thomas Bernhard[10] dans son Autriche natale, où il pensait par sa haine éliminer tout un pays. Oui, abattre, ce n'est pas un secret, abattre a toujours fait partie de mes fantasmes, de mes souhaits. Mais je refuse de passer à l'action. Pour moi, les vaches les plus vaches sont encore sacrées. Il faudrait ici penser au rapport à l'Inde de Larry Tremblay. "Non", dis-je au professeur masochiste, et par là si sadique. "Non, dis-je à Gilbert, ce ne sera pas ici ton dernier colloque, là ton dernier cours, je ne t'aiderai pas et il te faudra donner encore beaucoup de représentations et tu devras monter encore pas mal de fois sur les scènes que tu t'es choisies. Je ne t'achèverai pas comme on abat les vaches ou les chevaux, et je refuse de trancher pour toi ce que tu ne peux trancher qu'en me demandant de le faire à ta place. Tu vois ici, Gilbert, mon ami, où je veux en venir. Je serai vache, c'est pour cela que tu m'as choisie, mais beaucoup plus vache que toi. Tu sais, je suis vraiment sadique ou je suis simplement la loi. Comme tu veux. Tu m'as demandé de disposer de la hache, alors j'en dispose et le couperet ne s'abat pas. Je n'utiliserai aucune hache pour nous soulager de nos tourments, pour en finir avec nos fantasmes d'en finir, nos désirs. Je suis une sale vache et tu le sais bien. Tu as eu tort de venir me voir.

Tu aurais dû aller, cette nuit-là, voir un étudiant qui t'aurait exécuté (je sais qu'ils en sont capables...) ou qui aurait pu porter plainte pour harcèlement sexuel ou autre, mais tu es venu me voir moi, la vache, la vache folle, la vache enragée et déjà tu commences à le regretter, j'espère, parce que moi, je ne tue personne, je n'abats aucun humain, serait-il animal et même si l'on me tend la perche ou la hache, je me refuse à subir les diktats masochistes bien contemporains, mais si sadiques de l'autre. Non, Gilbert, je n'en finirai pas avec toi. Il faut que tu le comprennes. Tu es venu me voir en me donnant une hache, celle que tu crois que j'ai virtuellement, celle que je possède peut-être, moi qui sais trancher. Mais j'ai enterré ta hache, comme toutes les haches de guerre, dans mon jardin, je ne voulais pas que mon chien se coupe dessus. Je ne te l'ai pas rapportée aujourd'hui. Mon sac est vide. Tu n'aurais pas dû m'inviter Gilbert, ou moi, j'aurais dû te dire non. Alors je te dis : "Non, je ne t'achèverai point".

On n'achèvera rien, même si cela termine ici, tout de suite et mal.

Notes :

-1 Larry Tremblay, "La hache", dans *Piercing*, Paris, Gallimard, 2006. Dorénavant désigné à l'aide du sigle (*H*), suivi du numéro de la page.

2- Il faut tout au long du texte comprendre que je déclame mon texte le jour de l'atelier Tremblay, en présence de Gilbert David et des participants au colloque. Je m'adresse donc souvent à mon collègue et parfois aussi au public.

3- Je renvoie ici au texte de Tremblay qui débute justement sur la destruction des vaches et qui réfléchit sur la furie meurtrière.

4- Ce passage reprend l'idée de la nuit d'orage où le professeur de *La hache* va voir l'étudiant.

5- Voir p. 56 et suivantes du texte de Tremblay où il est question de la hache laissée par l'étudiant au professeur.

6- Stanley Kubrick, *The Shining*, États-Unis, 1980, 146 min.

7- Henri Meschonnic, *Modernité, modernité*, Paris, Gallimard, 1994.

8- Le professeur vient de mettre le feu aux quatre-vingt dix-sept pages qu'il avait écrites depuis le début de sa carrière.

9- Michel de M'UZAN, "Un cas de masochisme pervers. Esquisse d'une théorie", dans *De l'art à la mort. Itinéraire psychanalytique*, Paris, Gallimard, coll. "Connaissance de l'inconscient", 1977, p. 125-150.

10- Thomas Bernhard. *Des arbres à abattre*, Paris, Gallimard, 1987.

Oblique II

Alain-Michel ROCHELEAU

L'indifférence n'a pas de limites.[1]

[...] l'aspect brutal dans lequel je me trouve devant toi donne à ton silence des outils pour m'écouter, parce que devant toi ce n'est plus ton professeur qui fait son habituel tour de piste, clown savant des lettres, jongleur d'une littérature moribonde qui passe tout juste encore à la télé si, auparavant, on l'a toutefois maquillée de façon professionnelle en bouffonneries, en inepties, en bulles creuses programmées pour crever à l'écran dans un pétillement hilare annonçant la prochaine pub. (*H*, 19-20)

Larry Tremblay s'est constitué, au fil du temps, une œuvre bien à lui, par l'entremise de laquelle lecteurs et spectateurs peuvent entrevoir un bon nombre des principales titubations du monde actuel. Son travail artistique consiste à dépeindre, entre autres choses, des réalités équivoques et aux apparences parfois trompeuses, de multiples conventions humaines, soigneusement examinées ou déconstruites dans ses textes à la lumière de principes – anthropologiques, sociologiques et téléologiques – qui, de toute évidence, marquent son écriture et donnent à celle-ci une tonalité poétique qui n'est pas sans rappeler l'intensité du théâtre de Bernard-Marie Koltès.

Loin d'échapper aux systèmes de référence de notre époque, la dramaturgie de Larry Tremblay s'y réfère au contraire avec une grande perspicacité, afin de télescoper la prépondérance trop aisément accordée, depuis quelques décennies, aux notions de progrès, de performance et de scientificité, au jeunisme, à l'éphémère ou aux "nouveautés" en tout genre, et pour mettre en évidence la dissipation de nombreux concepts, axiomes, valeurs et convictions substantiellement liés à une longue tradition humaniste jugée aujourd'hui dépassée. Dans des textes publiés ces dernières années, tels que *Le déclic du destin* (1989)[2], *Ogre* (1997)[3] et *Le ventriloque* (2000)[4], l'auteur semble vouloir heurter le confort moral et intellectuel de nos gestes routiniers, la subjectivité contemplative d'un individualisme toujours plus magnifié, l'indifférence et l'insensibilité trop souvent éprouvées face aux gestes de violence et de cruauté largement diffusés sur les réseaux d'information ou sur *YouTube*, en particulier, par de jeunes internautes en quête de sensations fortes et de célébrité instantanée.

Voilà pourquoi sans doute la cohérence des événements et la vraisemblance des personnages que l'on retrouve dans toutes ces pièces ne semblent pas, de prime abord, recherchées. Ces derniers n'ont souvent pour seule identité qu'un âge, une occupation, une fonction sociale, des tics, des manies et de nombreuses "fêlures", pour reprendre ici l'expression de Martha, dans *Leçon d'anatomie* (1992)[5], de même qu'une quête de sens et d'idéal des plus élevés. Quant aux réalités et aux circonstances qui nous sont rapportées dans ces pièces, elles ont généralement la consistance que l'on prête aux images instantanées, récurrentes, violentes et percutantes, des vidéoclips les plus regardés et que les propos de Gaby Létourneau, personnage du *Ventriloque*, exemplifient trop bien lorsqu'elle dit : "[...] si quelqu'un s'introduisait dans ma chambre et m'arrachait à mon pupitre, m'interrompait, ne serait-ce qu'une seconde, dans mon travail, je lui sauterais au visage et je lui extirperais les deux yeux à coups de dents."[6]

De même, dans *La hache*, les conséquences de l'encéphalopathie spongiforme bovine (ESB), mieux connue sous le nom de la "maladie de la vache folle", ou du génocide survenu au Rwanda et dans lequel plus de 800 000 personnes ont trouvé la mort, sont évoquées sans grand effort d'élucidation par le professeur de littérature, dans de brèves formules édictant par exemple qu'il est "toujours plus facile de tuer des milliers d'hommes qu'un seul, parce que deux hommes qui se font face finissent immanquablement par se ressembler et alors le doute s'installe et la hache hésite." (*H*, 62), ou encore, dans certains moments d'éveil de sa conscience anesthésiée qui l'amènent à témoigner de ce qui suit :

> Je suis demeuré tout à fait calme quand on a montré à la télé plusieurs fois par jour des monceaux de vaches [...]. Je trouvais la situation normale. J'aurais accepté sans problème que toutes les vaches soient détruites. Pourquoi pas ? Puisque nous sommes capables de le faire.[...]. Oui, j'aurais été prêt à accepter cette destruction hystérique mais civilisatrice parce que mon cœur devant tant d'images de cadavres cabonisés [...] n'avait pas bronché, avait continué ses battements sans le moindre petit écart à sa routine rythmique. (*H*, 9-10)

Cette façon qu'ont souvent les personnages tremblayens d'annoncer leurs intentions – et qui emprunte, à bien des égards, au procédé brechtien de distanciation – étonne, déroute le public récepteur et le replace dans un contexte où, il n'y a pas si longtemps encore, la violence et l'impétuosité gratuite dérangeaient le regard des majorités, où le sentiment de sécurité prévalait le plus souvent, le jour comme la nuit, dans nos cités, où l'altruisme, le sens commun et l'intérêt collectif, entre autres choses, apparaissaient comme autant d'options à considérer.

Ce genre de dépaysement, généralement suscité par le mouvement dramatique, les dispositifs scéniques et le rythme prêtés aux différentes pièces de Larry

Tremblay, se produit à la manière d'un crescendo capable de faire surgir de l'ombre des réalités tantôt cauchemardesques, tantôt grand-guignolesques. De telles réalités, dans *La hache* en particulier, participent à la montée d'une tension dramatique d'autant plus palpable que les protagonistes, un professeur de littérature et son étudiant, sont tous deux confrontés à un espace réduit : une chambre à coucher, endroit funeste démuni d'accessoires et fort peu éclairé. Contigus à ces conditions spatiales, les mécanismes de la parole contribuent eux aussi, dans ce texte, à désarçonner les spectateurs. Par exemple, dans les toutes premières minutes de la représentation, l'enseignant semble incapable d'articuler correctement sa pensée, faute de repères cartésiens, et laisse échapper des bribes d'énonciations parfois cocasses, parfois absurdes, mais toujours poétiques, par exemple quand il parle des "vaches entièrement humaines" (*H*, 14), ou encore des "grains de sable macabres que nous accumulons dans notre cerveau" (*H*, 15). À ce procédé s'ajoutent aussi de longs moments à l'intérieur desquels la parole de l'éducateur semble se disloquer irrémissiblement, se vider de sa substance, abandonner sa fonction de communication, pour se cristalliser dans de surprenantes logorrhées et de nombreux aphorismes grimaçants. Puis, voilà que tout à coup, la construction de son discours se transforme à nouveau, s'affine, et le protagoniste fait alors preuve de lucidité dans ses dénonciations. Ces moments de conscience l'amènent à penser, notamment, au déferlement d'images de charognes, et il admet volontiers avoir longtemps cru exercer, sur ce fait lugubre, un pouvoir de discernement, alors qu'en réalité, il se prélassait, la conscience insensibilisée, "dans la culture de la mort acceptée." (*H*, 18)

Représentant, pourrait-on croire, des pédagogues désabusés, honteux d'eux-mêmes et méprisés, à qui l'on demande de produire sans cesse et de performer, de donner, par un enseignement de qualité, à des étudiants de plus en plus nombreux et de moins en moins intéressés toutes les chances d'accéder à un emploi de qualité et, dans l'idéal, à une libre pensée ; porte-parole, pourrait-on assumer, des littéraires et des enseignants découragés, de qui l'on exige d'être passionnés, d'aimer leur discipline, d'avoir une compétence irréprochable et toujours actualisée, de maîtriser et d'utiliser en classe les technologies de l'information et de la communication, et de valoriser, sans réserve aucune, l'univers sensationnaliste de la "culture numérique", le professeur, dans *La hache* de Tremblay, se dresse contre de multiples réalités, contre l'indifférence, l'imposture, la bêtise humaine et la destruction organisée, en particulier, mais tout en éprouvant un fort sentiment de culpabilité. Ainsi, par exemple, avec un malaise dans la voix qu'il peut à peine contrôler, l'homme s'en prend aux conséquences d'un jeunisme prêché à outrance dans nos sociétés, et dit :

[...] tous ceux qui ne sont plus jeunes n'ont plus qu'à s'efforcer de croire qu'ils le sont encore, qu'à se débarrasser de leurs pensées, de leur volonté, de leurs convictions pour tenter de se faufiler parmi vous et de passer pour l'un d'entre vous. Mais ça ne dure jamais longtemps. Vous êtes repérés et repoussés dans l'ombre, piétinés [...] par votre insouciance, votre condescendance. (*H*, 14)

À ce désir de brouille *intergénérationnelle* s'ajoutent, dans la pièce, des rapports conflictuels plus souterrains et plus déroutants encore, alors que se profile dans la relation entre les deux personnages un renversement inusité mais significatif : l'étudiant, parfois entrevu comme le "client" privilégié ou l'enfant-roi de nos universités, se voit attribuer, par son vis-à-vis, une compétence peu méritée, et le professeur, étendard d'une autorité professionnelle et intellectuelle aujourd'hui contestée, accepte d'occuper, devant lui, une position de dominé, comme si toute transmission d'un savoir devait nécessairement impliquer un lien de domination, une puissance affirmée, une soumission consentie et, plus obscurément encore dans *La hache* de Tremblay, une interaction aux accents *libidineux*. En effet, après avoir exprimé à son élève le désir de renoncer au statut qu'il occupe habituellement devant lui : "[...] je te jure que je suis habité par l'envie douloureuse de m'agenouiller devant toi, de courber la tête et de laisser ma bouche parler, parler sans aucune pudeur. Tu es à moi. Tu es mon étudiant." (*H*, 34), le professeur admet, avec candeur, l'échec de ses "visées pédagogiques" :

> Ce que tu es, je voulais le toucher au risque de tout perdre. Pour la première fois de ma vie, je m'intéressais à quelqu'un. Mais je n'avais aucune raison valable de le faire. Rien ne justifiait mon sursaut devant ta présence et ma souffrance devant ton absence. Tu irradiais une lumière qui me forçait à donner des cours de plus en plus incohérents. Je babouillais, je cherchais mes mots, je perdais ma fougue [...]. Quelle stratégie pédagogique, tu te rends compte ! Qu'est-ce qu'on peut faire quand ce genre de truc se produit ? [...] N'aie pas peur, je veux te toucher pour m'assurer que tu existes. Rien d'autre. Tu es là, chaud, mais impénétrable. (*H*, 49-50)

D'autres admissions viennent aussi trahir le combat de pulsions plus obscures encore, lorsque le protagoniste déclare au témoin de sa déchéance : "Je comprends à présent ce qui m'a attiré dès que je t'ai aperçu. Tu étais ma mort entrant dans la classe, souriante et silencieuse." (*H*, 59) Ou encore, l'invite au meurtre : "Reprends ta hache et va au bout de ton idée : expérimente ce qu'est de tuer un homme dans la lumière naissante, en connaissance de cause. Tuer. Un homme ?" (*H*, 63)

Au terme de ce trop bref parcours, il est donc permis d'affirmer que l'œuvre de Larry Tremblay, et *La hache* en particulier, met en évidence plusieurs des travers repérables dans le monde actuel, de même qu'un certain nombre de réalités plurivoques, de réflexes morbides, d'habitus étonnants et divertissants.

Tous ces *gestus* servent à interloquer le public récepteur, à stimuler son regard critique et à le ramener, par la pensée, à une époque encore peu lointaine, où le respect de la vérité, des institutions et de l'autorité, où l'imputabilité, l'effort intellectuel et l'originalité, où la politesse et la cordialité, où les traditions religieuses, philosophiques et la lecture des auteurs classiques, étaient valorisés et encouragés dans la Cité. La dynamique narrative et discursive de plusieurs des pièces de Tremblay se fonde d'ailleurs en grande partie sur ce procédé de distanciation, qui donne à ces pièces un accent bien particulier.

Notes :

1- Larry Tremblay, "La hache", dans *Piercing*, Paris, Gallimard, 1999, p. 12. Dorénavant désigné à l'aide du sigle (*H*), suivi du numéro de la page.

2- Larry Tremblay, *Le déclic du destin*, Montréal, Leméac, 1989.

3- Larry Tremblay, *Ogre*, Carnières-Morlanwelz, Lansman éditeur, 1997.

4- Larry Tremblay, *Le ventriloque*, Carnières-Morlanwelz, Lansman éditeur, 2000.

5- Larry Tremblay, *Leçon d'anatomie*, Carnières-Morlanwelz, Lansman éditeur, 1992.

6- Larry Tremblay, *Le ventriloque*, p. 35.

Mettre en scène
le théâtre de Larry Tremblay

Table ronde

La hache de Larry Tremblay
Mise en scène de Larry Tremblay
Une production du Théâtre de Quat'Sous, Montréal, 2006
Sur la photo : Jean-François Casabonne et Xavier Malo (en ombre)

Photographe : Yanick MacDonald ©

Mettre en scène
le théâtre de Larry tremblay

Table ronde[1] animée par Paul LEFEBVRE,
avec Claude POISSANT, Boris SCHOEMANN,
Larry TREMBLAY et Keith TURNBULL

Paul LEFEBVRE : Je vais commencer par une question très concrète, vu que Boris Schoemann, Claude Poissant et Keith Turnbull ont tous trois mis en scène *Le ventriloque*. Or, quiconque monte *Le ventriloque* doit prendre rapidement des décisions au regard d'une indication de l'auteur : "Hortense, Léa, Étienne, Docteur Mortimer, Balzac et Talihuana sont des personnages dont on n'entend que la voix."[2] Je vous pose alors la question suivante : comment avez-vous interprété cette indication ? Avez-vous, par exemple, demandé à six comédiens différents de jouer ce même nombre de personnages ? À un seul ? Comme ce sont des voix, est-ce que vous avez eu recours à un enregistrement sonore ? Aviez-vous des acteurs hors-scène ? Ce sont là des décisions qu'un metteur en scène – et, qui plus est, un producteur, puisque Boris Schoemann et Claude Poissant l'étaient également – doit prendre rapidement.

Boris SCHOEMANN : Les didascalies, j'ai horreur de ça ! En général, je prends le contre-pied des indications. Non, en fait, il y a des didascalies fondamentales dans de nombreuses pièces, mais ce n'est pas quelque chose que je respecte toujours. J'avais vu en 2001 la mise en scène de Claude Poissant du *Ventriloque*, que j'avais beaucoup aimée. Normalement je ne monte pas les pièces que j'ai déjà vues, afin de ne pas subir d'influences. J'ai donc essayé de faire quelque chose de complètement différent, et c'est une des raisons pour lesquelles je n'ai pas respecté les didascalies du texte. Concernant le personnage du Docteur Limestone qui, selon l'auteur, "pourrait être noir", la question ne se posait même pas dans le contexte du Mexique : c'était franchement impossible de trouver un acteur noir. J'ai donc choisi un acteur imposant physiquement – en l'occurrence grand et gros – qui pouvait en même temps afficher un visage d'adolescent. J'ai décidé aussi de faire apparaître les personnages secondaires et de les faire jouer par un seul acteur. Et ça a marché très bien ! Un seul acteur interprétait donc la Mère, le Père, Léa, Mortimer, Talihuana, Cervantès – l'auteur m'avait permis de remplacer Balzac par l'écrivain espagnol. Cette présence d'un seul acteur a renforcé l'aspect délirant et oppressif des interventions des personnages secondaires.

Paul LEFEBVRE : Ce serait intéressant que vous développiez la question du type d'acteur. Selon le souhait de Gilbert David, les débats de la journée ont été concentrés sur le personnage ou, pour en parler comme Jean-Pierre Ryngaert, sur la figure dans le théâtre de Larry Tremblay. Ce serait éclairant que vous parliez en détail des caractéristiques que vous avez privilégiées pour choisir les comédiens.

Boris SCHOEMANN : J'ai travaillé avec des comédiens que j'aime et qui font partie de ma compagnie. Par contre, je suis allé chercher un acteur invité, Alejandro Calva, pour le rôle du Docteur Limestone que je considère être la véritable figure de cette pièce, et non Gaby. La distribution a donc été élaborée autour de cet acteur qui, selon moi, est l'un des meilleurs du Mexique. Gaby a été jouée par une jeune comédienne, Alejandra Chacón, qui avait beaucoup moins d'expérience qu'Alejandro Calva, mais elle adorait la pièce, et c'est elle, au fond, qui m'a poussé à la monter. Je lui ai donc fait confiance. Elle a fait un travail énorme pour, comment dire, s'ajuster au niveau de jeu d'Alejandro Calva. J'ai choisi le troisième acteur, Miguel Conde, pour sa personnalité, sa capacité à modifier sa voix et pour sa *vis comica*… je ne sais pas comment on peut dire ça en français.

Paul LEFEBVRE : "*Vis comica*" ? *(Rires)* C'est du latin, ça vient de Plaute. *(Rires)* Alors, Claude Poissant.

Claude POISSANT : Pour ma part, j'ai eu beaucoup de temps pour faire le casting de la production puisque l'année précédant la création du V*entriloque,* le théâtre PàP avait présenté en France, dans la région de Bayonne, des lectures publiques de trois textes québécois, dont *Le ventriloque*, avec une équipe de quatre comédiens. Les autres auteurs lus étaient Normand Chaurette et Louise Bombardier. Pendant cette période de lectures publiques – *Le ventriloque* a été lu à quatre reprises, devant des publics très différents –, j'ai donc eu le temps, grâce au talent des lecteurs David Savard, Annick Bergeron, Maxim Gaudette et Dominique Leduc, de bâtir le trajet de mise en scène. L'option que j'avais prise pour les lectures avait de l'allant, du nerf, du mystère, mais ce n'était pas encore tout à fait ça. L'ensemble paraissait encore trop lourd… Alors je me suis demandé : "Qu'est-ce que je cherche ?". Il y avait une seule certitude : je voulais quatre comédiens, un Ventriloque/Limestone, une Gaby, et deux comédiens pour faire l'ensemble des rôles fantasmatiques, un comédien et une comédienne que je voulais très physiques, fusionnels. J'ai donc fait appel à Daniel Parent et à Nathalie Claude pour ces rôles secondaires, mais essentiels. Ces derniers avaient fait de la danse, du mime, de la biomécanique et avaient touché à beaucoup de genres théâtraux. Ils n'ont donc jamais craint les processus complexes. J'avais envie, pour jouer le Docteur Limestone, d'un acteur avec lequel on n'est pas nécessairement à l'aise, quelqu'un qui, physiquement, nous dérange, qui peut facilement être inquiétant. Le Docteur

Limestone rêve d'être quelqu'un d'important et de respecté, mais il a peur, et se cache derrière une poupée avec laquelle il joue. Alors Frédéric Desager m'est apparu... De plus, il se montrait capable d'exhiber une fausse autorité qui ajoutait à l'étrangeté de son personnage.

Paul LEFEBVRE : Mais il est pâle et roux ! Dans les indications, il est dit qu'il "pourrait être noir" !

Claude POISSANT : Ça, c'est dans la mise en scène virtuelle de Larry Tremblay ! "Il pourrait être noir", indique la note. Et arrange-toi avec ça... Si un acteur noir avait convenu au personnage, peut-être que... mais non, je n'en trouvais pas. Pour le rôle de Gaby, j'ai hésité longtemps. Je cherchais vraiment une femme-enfant, avec une grande dose de naïvité, mais aussi une comédienne qui saurait se confronter à l'inconnu. Nathalic Mallettc a lu la pièce et elle m'a dit : "Je n'ai pas tout compris, c'est bizarre, je n'ai jamais fait un travail de ce genre : es-tu sûr que c'est pour moi ?" J'avais besoin de ça, de sa candeur. Nathalie est une comédienne qui se livre totalement au metteur en scène, qui vous donne la lune et, le soir, quand elle rentre chez elle, elle travaille à trouver une cohérence à la suite du chaos de la journée. Le lendemain, elle revient et elle dit : "Voilà, j'ai trouvé des liens, de tous types, vois si ça te convient." J'aime ça quand les comédiens me prennent au dépourvu et, dans *Le ventriloque*, Nathalie avait très bien saisi l'aspect "marionnette" du personnage, un peu comme si le metteur en scène était devenu son ventriloque.

Puis, la trame musicale a vraiment précisé le rythme et, par conséquent, le sens, en fonction du travail d'horloger et des marques de manipulation que je voulais imprimer à la pièce. Tous les comédiens, en particulier le duo des personnages fantasmatiques, sont devenus des musiciens, grâce à la contribution du compositeur Jean Derome qui a été présent à toutes les répétitions, avec ses trois mille jouets, instruments et objets de toutes sortes. Le théâtre de Larry Tremblay appelle une approche très ludique, et je vous jure qu'on a joué et joué encore, pendant les huit mois de répétitions, à tous les jeux imaginables, ne retenant parfois pour le spectacle final que quelques secondes ici et là dans nos innombrables essais ludiques. Il y avait une volonté de la part de tous les participants de se frotter au questionnement entre "jouer" et "être", horrible paradoxe auquel Larry Tremblay nous confronte à chaque fois qu'on a à mettre en scène ses textes – ce qui fait, bien entendu, qu'on a le goût de les mettre en scène.

Paul LEFEBVRE : Keith, when you translated *The Ventriloquist*, did you know that you were about to stage it[3] ?

Keith TURNBULL : No. I had just met Larry Tremblay and I was working with him developing a new opera called *A Chair in Love* for which he had written the libretto. In order to get to know his vocabulary, I started reading all his plays and much of his other writing. When I got to *Le ventriloque* I picked it up and couldn't put it down; it was one of those amazing experiences : I was on the roller-coaster-ride, astonished at every turn, but never lost, always knowing exactly where I was. When I finished it, in a somewhat embarrassing adolescent euphoria, I noticed that I had read it in about the same amount of time that it would take me to read an English text of this length. Then I thought 'Oh sure, you think this is so great because your French is so bad, you have completely misread it.' So, I translated it to find out whether I really liked it. But I never meant for the translation to go further; it was just for me [4].

Paul LEFEBVRE : So, how did it go further[5] ?

Keith TURNBULL : I discovered I hadn't misread the play and decided I wanted to direct it. So I started to hunt for a real translator. With some plays, and *The Ventriloquist* is one of them, the critical trick is for the translator to really know the universe into which the play is being translated. I asked Paula Danckert, of Playwrights' Workshop Montreal, if she could suggest a translator and I made the mistake of letting her read my very rough draft. Surprise ! Surprise ! She said I should do it myself, and five drafts, two workshops and a production later, there it is [6].

Paul LEFEBVRE : And then the production[7] ?

Keith TURNBULL : English theatre is not really predisposed to this world of dramaturgy. There is no real appetite for the strict classicism of Racine or the absurdism of Ionesco. *The Ventriloquist* is a bit like Racine meets Ionesco on drugs. I finally did find a producer, Ken Gass at Factory Theatre in Toronto, and a very patient producer at that. It took three years from the time Ken Gass wanted to produce it because of the difficulty of getting together the cast in the same room at the same time when the theatre was available. I wanted to do a production which, I didn't know how, but which was pretty literally a door, two chairs, and some actors so the casting was even more critical than usual. A year or so earlier I had done a production of Racine's *Britannicus* in – believe it or not for those who know the city – Calgary. I worked with a young actress, Meg Roe, who I'd seen before but had never directed. For this production I got a unique opportunity to do about a week and a half of text workshops with the cast. I have a very precise approach to English text connecting punctuation, breath, rhythm and character; this approach is not that unique but it is detailed. This was all new to Meg and she was wonderful. She was also, in my mind's eye and ear, the perfect Gaby[8].

Paul LEFEBVRE : Il faut comprendre qu'au Canada anglais, le théâtre, de par les normes syndicales qui régissent les acteurs professionnels, est répété à temps plein pendant trois semaines. Certains théâtres institutionnels, comme le Neptune à Halifax, ne répètent les pièces que deux semaines... Au Centre national des arts à Ottawa, le Théâtre anglais doit trouver des trésors d'imagination et d'argent afin de pouvoir répéter quatre semaines certaines pièces très complexes. Ça pose aussi d'énormes problèmes de distribution, toujours au Canada anglais, parce que le théâtre producteur, en fait, achète l'ensemble des blocs de temps de l'acteur pendant le temps des répétitions – ce que le producteur achète c'est deux, trois semaines de disponibilité du comédien. Vous avez alors tous les comédiens en salle de répétition de dix heures du matin à dix-huit heures, six jours par semaine. Alors une semaine et demie, au Canada anglais, de travail avec une comédienne, c'est un luxe inouï. Il faut connaître cette situation-là, pour comprendre le contexte de ce que vient de nous dire Keith.

Claude POISSANT : Et l'accepter... (*Rires*)

Keith TURNBULL : Then I started to hunt for the Dr. Limestone. I definitely wanted a black actor. The world of the play is a town big enough to have psychiatrists, big enough to have a television station, big enough to have a university, but not big enough to be the Big City. It also has a certain and unspecified feeling of the 50's. I translated this time and world into a small provincial white Anglo-canadian town, for example, in Ontario or in the West. I also felt that the theme of transgression is very important in the play. The author toys with our political correctness, with a whole series of taboos on which doors he kind of pretends to knock. Casting a black actor as Dr. Limestone tests our supposed 'post-racist' political correctness. Have I and my community really escaped our racist inheritance ? I was born in a small town in Ontario and, except in the movies, I don't think I saw a person of colour until I was thirteen. With Dr. Limestone and Gaby I definitely wanted to see if anyone was there by knocking on the door of that supposed cliché "If we let those black men in, they're gonna take all our daughters". (*Rires*) And no one answered, but many were home. Of course, there are also multiple other textual and thematic reasons for the casting choice.

I did finally find the actor I had been hunting for, Nigel Shawn Williams, who had a wonderful physicality and a very strong background in demanding text based, high language plays. Once I had found the two central actors, the reason it took three years to get this play on the boards is that both their careers took off. Artistic Directors are not that fond of directors who say "I won't do the show unless I have these two actors and, by the way, one of them has to be flown in from Vancouver to Toronto and, on top of it, she will buy out the last preview since she has to fly back for a one day film shooting just before the opening."

Once that got settled, for the other off-stage characters I hunted again for two actors with a solid base in text, a solid radio base. For the audience, I really wanted those "voices" to sound and seem like very different people. I got that[9].

Paul LEFEBVRE : So you got two other actors for the six voice parts [10].

Keith TURNBULL: Yes [11].

Paul LEFEBVRE : Ces propos appellent quelques petites précisions sur la culture théâtrale du Canada anglais : à cause du réalisme de la dramaturgie nord-américaine, ce ne sont pas toutes les formations théâtrales où l'on va travailler en profondeur des auteurs du répertoire, que ce soit Shakespeare ou Sheridan; ainsi, il y a des acteurs dont la formation est professionnelle, mais dont la seule expérience est celle de cette langue théâtrale contemporaine – qui est très proche de la langue parlée courante. Également, il y a la radio. Le théâtre radiophonique dans la culture anglo-saxonne, que ce soit en Angleterre ou au Canada anglais, a infiniment plus d'importance que pour nous.

Keith TURNBULL : Because I wanted one more roller-coaster-ride reversal right at the end of the play, Parker's mother was played with a Jamaican accent. So in the last scene all of a sudden you go "Click" and there's a whole new back-story to Parker revealed. However, because that actress has been associated throughout the play so extensively with Gaby's mother and her girlfriend Lea, you get a mental image of a white middle class person. Then at the curtain call there is another reversal when the audience discovers a black actress taking her bow : "Oh right, culture and race are not the same thing" [12].

Paul LEFEBVRE : Larry Tremblay, lorsque vous montez un de vos propres textes, quel est le rapport entre le metteur en scène et l'auteur ? Je vais citer Claude Poissant, à qui il est arrivé également de mettre en scène ses propres textes : il a pu déclarer que "pour lui, l'auteur n'était jamais avec lui en salle de répétition". Et si on lui demandait de changer quelque chose à son texte, il répondait : "Je vais en parler à l'auteur ce soir et je vous rapporterai sa réponse demain."

Larry TREMBLAY : Alors Claude Poissant a, comme moi, un petit côté schizoïde... Bienvenue dans le club ! (*Rires*) Je dirais que monter mon propre texte installe d'emblée chez moi une distance. Quand j'écris, je demeure dans l'imaginaire. Je ne m'embarrasse pas de contraintes d'ordre financier ou encore je ne me pose pas de questions sur la distribution, la production ou le choix d'un théâtre : combien d'acteurs faudra-t-il ? Quel type de scénographie la pièce va-t-elle demander ? Quel budget ? Sur papier, tout est possible. Alors j'en profite. Je suis dans l'écriture. Totalement. Et non dans un éventuel projet de spectacle. Par contre, lorsque je mets en scène mon propre texte, ces questions mises à l'écart précédemment refont surface et s'imposent. Je dois, comme n'importe quel metteur en scène, les affronter. J'enquête sur le texte comme si, en fait, je n'en étais pas l'auteur. Je le redécouvre. Je m'en étonne. Je peste contre lui ou, à l'occasion, contre son auteur, en oubliant pour un moment que c'est moi ! Au début, je m'interroge surtout sur l'espace – alors que cette donnée n'a pratiquement aucune importance dans mes textes au moment où je les écris. La plupart de mes textes naissent de la parole des personnages et non d'une action qui les précéderait et commanderait un lieu déterminé. C'est donc rarement chez moi des lieux mimétiques, des lieux réalistes, mais plutôt des lieux ludiques, transformables. J'ai toutefois – je le reconnais – un avantage en étant et l'auteur et le metteur en scène d'un texte. Je bénéficie d'une "plaque sensible". Comment expliquer cela ? Lors des répétitions, cette "plaque sensible" me permet de savoir – de sentir, en fait – tout de suite si l'acteur est dans le ton, le rythme, s'il donne au texte le déploiement nécessaire à sa polyvalence ou, à l'inverse, le réduit à un niveau anecdotique. Ce n'est donc pas cérébral, rationnel. C'est une résonance, comme si ma poitrine captait une note de musique et qu'aussitôt j'étais en mesure de savoir si cette note résonnait de façon juste avec tout ce qui l'a précédée et tout ce qui la suivra. J'ai l'intuition que cette "plaque sensible" se construit au moment où j'écris. Elle est sans doute reliée à la musicalité du texte dans l'instant même de son jaillissement. Diriger un acteur, c'est alors pour moi l'amener à jouer le texte comme si c'était avant tout une partition musicale plutôt qu'une partition psychologique. La surdose émotive ralentit le rythme. C'est pourquoi je donne beaucoup d'importance à ce que je nomme le "travail de l'oreille" dans mon approche de la mise en scène et, plus spécifiquement, dans ma direction d'acteur. Je demeure attentif au rythme et au contre-rythme, aux pauses, aux silences, aux accélérations et décélérations. Étrangement, mes premières mises en scènes étaient plutôt axées sur un "travail de l'œil". Cependant, je peux le comprendre : cette insistance mise sur "l'œil" venait de ma formation en kathakali où le corps est cadré, segmenté, codifié et se donne sans cesse à voir comme performant et signifiant. En prenant de l'expérience, j'ai appris à installer un équilibre entre l'auditif et le visuel.

Paul LEFEBVRE : On pourrait diviser les auteurs en deux catégories. La première : ceux qui, lorsqu'ils remettent le texte à l'éditeur ou au théâtre, considèrent que le texte est terminé. Et la deuxième : ceux qui, tout simplement, ne pouvant plus voir le texte, l'abandonnent. Est-ce que vous appartenez à ceux qui terminent ou à ceux qui abandonnent ? Et si vous êtes de ceux qui abandonnent, est-ce que le metteur en scène est celui qui travaille par d'autres moyens l'impulsion secrète qui a donné naissance au texte ?

Larry TREMBLAY : En fait, c'est la publication du texte qui "officialise" la fin de mon processus. Autrement, j'aurais la tentation de le réécrire. Heureusement, donc, que l'édition existe… parce que l'auteur – je parle de moi, mais sans doute beaucoup d'auteurs vont se reconnaître ici – a toujours envie de peaufiner, de raffiner son texte. Cette obsession de la perfection, toutefois, peut s'avérer négative. J'ai tendance à sculpter mes textes et je n'ai pas de problème à jeter, à couper pour dégager l'essentiel. Mais j'ai appris, avec le temps, à ne pas jeter le bébé avec l'eau du bain. Je demeure, je l'espère, exigeant avec mes textes. Je traque le mot inutile, la surcharge d'adjectifs. Je travaille le rythme des phrases, d'où un grand nombre de versions. Bien sûr, il y a des textes qui sont pratiquement des premiers jets – comme *Le déclic du destin* ou *The Dragonfly of Chicoutimi* –, mais la plupart ont connu plusieurs versions. Et jamais je ne fais lire à un metteur en scène une première version. Il reçoit une version que j'estime aboutie. Il m'arrive parfois d'attendre plusieurs années avant de proposer un texte. Comme si certains textes avaient besoin de "dormir" dans un tiroir avant d'être redécouverts et remis au travail d'écriture. C'est pourquoi j'ai toujours plusieurs textes en chantier. Je sais que certains prendront des années avant que j'écrive le mot "fin" et d'autres, quelques mois. Ainsi, l'écriture du *Ventriloque* s'est échelonnée sur six ou sept ans, passant par de surprenantes métamorphoses avant le texte final.

Paul LEFEBVRE : Il est sans doute difficile de définir les personnages instables de Larry Tremblay, en particulier dans *Le ventriloque*. La grande question qui se pose, c'est : qui est le *ventre* de cette pièce-là, qui est le ventre qui parle ? Quel défi cela pose-t-il pour diriger les comédiens ? Comment se sont passées les répétitions avec les comédiens ?

Claude POISSANT : Je me suis rendu compte très tôt que ça prenait, d'abord et avant tout, au-delà du casting, des acteurs d'une très grande disponibilité mentale – je suis d'accord avec ce que Larry disait, la fameuse plaque sensible, on la sent ou on ne la sent pas – pour s'abandonner à l'un de ses textes. Ça n'est pas donné à tout le monde, ça prend des techniciens du jeu absolument obsessifs et rigoureux.

Paul LEFEBVRE : Pourquoi ?

Claude POISSANT : À cause de la langue que Larry utilise, qui fait en sorte qu'on ne peut pas trouver comment faire du Larry Tremblay d'un coup : on est obligés de pousser nos investigations dans des zones qui exigent autant un investissement émotif qu'un travail physique : diction, modulation, voix, respiration. Tous les éléments du corps seront tôt ou tard sollicités par un texte de Larry Tremblay, alors il faut les avoir en banque. C'est ce que je disais tout à l'heure quand je mentionnais que Nathalie Mallette possédait cette capacité de s'abandonner totalement. J'avais besoin de gens qui allaient, au-delà du travail de table, plonger, agir : faire, faire et refaire sans se questionner toutes les vingt minutes. Parce qu'autrement, on ne s'en sortirait jamais. Un jour, j'ai appelé Larry, j'étais très perdu et je lui ai dit : "Viens voir, j'ai placé la même scène deux fois, de façon complètement différente, je veux juste avoir ton œil là-dessus." Il a regardé. Puis, on a pris une pause. C'était un jour où la répétition était publique pour les *Journées de la Culture*, alors il y avait des spectateurs qui nous regardaient. Les acteurs en étaient déboussolés, ils ne savaient plus du tout où ils allaient. Pour les spectateurs, ça a dû être tout à fait passionnant ou alors ennuyant à mourir. J'ai demandé à Larry durant la pause : "A ou B ?"

Il m'a répondu : "B". J'ai fait : "O.K. !" C'est à partir de ce moment que j'ai éliminé la zone A, que j'ai éliminé un paquet de choses longtemps travaillées, et j'ai commencé à retravailler la zone B, à l'approfondir.

Pour trouver le côté "tribal" du texte, Nathalie Claude et Daniel Parent ont fait des recherches sur le vaudou. Quand la chorégraphe est venue, elle a proposé un travail sur la transe. J'ai accepté, afin de vérifier des choses. On a donc demandé à Daniel et à Nathalie de participer à un atelier de trois heures sur la transe. C'était le 11 septembre 2001 ! Le local de répétitions a tremblé ! Ça aussi, ça nous a sans doute ouvert le chemin. Le monde de Larry Tremblay est toujours sur le bord d'une falaise, mais il est permissif aussi. Les comédiens, au début de leur travail, ne doivent pas tout de suite tracer un chemin. Et c'était comme ça avec *Le ventriloque*. Frédéric me questionnait toutes les trente secondes – j'exagère, disons toutes les trente minutes –, et je lui disais : "Non ! Lâche prise ! Plonge ! À un moment donné, on va pouvoir lier les éléments, trouver le sens." Ma manière de travailler le théâtre a toutefois été forgée par le théâtre psychologique américain. Je sais que je ne peux pas y échapper. Je dois passer par lui pour ensuite le balayer et parfois y revenir. J'ai besoin de cette espèce de courbe. Ça m'émeut de créer un objet qui se nourrit de tout, de la vision théâtrale de Larry comme de la mienne, des codes de jeu des acteurs, du théâtre réaliste comme du théâtre expérimental, et ce par-delà tous les préjugés.

Boris SCHOEMANN : Je suis tout à fait d'accord avec Claude Poissant sur la façon particulière d'aborder le théâtre de Larry Tremblay. Je pense que si on définit trop tôt ce qu'on veut faire, on va se planter complètement. Il y a des auteurs qu'on peut analyser dès le début, mais je sens que monter le théâtre de Larry Tremblay c'est accepter le goût de la fuite, le goût du néant, le goût de se perdre. Et moi, je me suis perdu dans la mise en scène du *Ventriloque* et j'espère me perdre, en ce moment, dans la mise en scène de *Téléroman*, un autre texte de Larry Tremblay que j'ai aussi traduit en espagnol. D'ailleurs, quand Gilbert David m'a invité, je me suis dit : "Super ! La première de *Téléroman* est en juin, ça va me permettre de discuter avec l'auteur au mois de mars, alors que les répétitions sont commencées, et je vais repartir avec des idées moins claires que lorsque je suis arrivé…" Mais c'est ça qui me plaît ! Ce que j'aime dans le théâtre de Larry Tremblay, c'est qu'on recherche tout le temps. Ce qu'il a dit tout à l'heure au sujet de la sonorité, du rythme, c'est évidemment aussi important en espagnol. Et j'ai beaucoup insisté sur cet aspect du travail avec les acteurs. Sur les silences aussi. J'aime faire voir le personnage qui ne parle pas. Pendant les longs passages de Gaby, j'essayais donc d'attirer l'attention sur le Docteur Limestone, sur son écoute. J'aimerais aussi préciser une chose concernant les acteurs mexicains : c'est leur goût du mélodrame. J'ai donc lutté contre leur penchant à dire le texte de façon trop réaliste parce qu'évidemment ça ne convient absolument pas au théâtre de Larry Tremblay. Il faut, au contraire, que les acteurs se retiennent... d'où l'intérêt particulier de travailler des textes québécois avec des acteurs mexicains. Les auteurs québécois qui ont assisté à des pièces de théâtre à Mexico disent très souvent : "Qu'est-ce que les acteurs sont intéressants dans leur façon de bouger !" Il y a une énergie corporelle chez les acteurs mexicains qui est extraordinaire. Les corps suent beaucoup... mais le ton ne devrait pas dégouliner pour autant ! Il y a un juste milieu à trouver. Il faut donc contenir l'aspect psychologique. Et le théâtre de Larry Tremblay propose justement un univers où la "surface psychologique" des personnages est toujours sur le point de s'effriter et de laisser apparaître le trouble, le paradoxal, ce qui provoque une richesse de réactions de la part du public. À Mexico, des spectateurs plus avertis ont fait ressortir, bien sûr, la relation pseudo-thérapeutique, ou faussement thérapeutique, entre Gaby et le Docteur Limestone. Des spectateurs plus jeunes m'ont plutôt parlé des relations tendues qu'ils avaient avec leurs parents, ayant été plus sensibles aux frictions que vit Gaby avec sa mère et son père. *Le ventriloque* est une pièce pleine de surprises et j'ai construit ma mise en scène pour mettre en valeur cette part d'inattendu. Ainsi, à la toute fin, Miguel Conde, l'acteur qui faisait toutes les voix, est devenu la poupée que Parker (alias le Docteur Limestone) manipule. Je trouvais évident que cette poupée soit jouée par un homme, non pour conclure la pièce, mais pour la recommencer !

Paul LEFEBVRE : Keith, what were the great difficulties of rehearsing such a text with the actors, because it's very far from typical North-American drama ?[13]

Keith TURNBULL : English Canadian theatre is dominated a little bit by British technique, but a lot more by the American Stanislavski/Marlon Brando core belief that "the word is an expression of the self". This dramaturgy is dominated by the idea that fiction comes out of, and is made up out of, reality. Whereas in The Ventriloquist, fiction creates reality, the word creates the world. "In the beginning was the word."

I work on a basis of "It's music, it's text. Don't ask me who you are. Speak the text to find out who you are." There is a phrase that comes out of Renaissance theatre: "you must think with your tongue", you don't know who you are or what you feel until you say it. Which, in the case of *The Ventriloquist*, makes each performance a high-wire act without a net because at the best of time the actor is literally improvising the performance. Technically the actors have to be extremely well-prepared and be so skilled that they can throw the technique out the window, improvise the score and, in the same time, be note-perfect.

Directorially the hardest thing is to keep the textual standards very high and not kill the actors' spirit[14].

Paul LEFEBVRE : Larry Tremblay, souhaitez-vous commenter la façon dont on a parlé de vos textes durant cet Atelier ?

Larry TREMBLAY : Bien sûr, mais j'aimerais d'abord remercier tous les conférenciers qui ont bien voulu réfléchir à partir de mes textes. Merci pour vos analyses et vos intuitions. J'en suis touché. Ça a été fascinant d'entendre vos réflexions rebondir les unes sur les autres, de faire résonner cette salle de leur écho réflexif, cette salle de l'Espace GO où justement *Le ventriloque* a été répété. Je voudrais aussi remercier Gilbert David qui est à l'origine de cette journée et qui l'a si bien orchestrée.

Ce matin, les trois interventions sur *Le ventriloque* ont mis en évidence son fonctionnement dramaturgique. On a insisté sur l'aspect "machine" de cette pièce. Je ne sais plus qui a employé le mot "machine", mais curieusement je l'emploie moi-même en parlant du *Ventriloque*. J'ai construit cette pièce comme une véritable "machine de théâtre". Sans tomber dans le piège réducteur de l'efficacité à tout prix, un texte de théâtre doit "fonctionner", permettre que tous les artistes d'un spectacle, du metteur en scène aux acteurs en passant par les concepteurs, aient une prise concrète sur les rouages – parfois infimes ou à la limite de la visibilité – de l'action dramatique. J'ai aussi apprécié qu'on parle d'humour à propos de ce texte. Mes textes peuvent donner l'impression que leur propos est grave. Sans doute l'enjeu est-il le plus souvent plutôt grave que léger. Et j'ose croire que cette gravité est en fait la forme que peut prendre la densité. Je suis convaincu que c'est la densité qui permet le paradoxe, l'équivoque, la multiplicité des points de vue ou des interprétations. Et si l'enjeu demeure donc grave ou dense, il ne faut pas oublier que les façons de livrer cet enjeu, c'est-à-dire les différentes facettes du jeu, se nourrissent souvent d'ironie, de ruptures et d'une certaine perversité apparentée à la joie d'exister dans l'étonnement du réel. Je crois que c'est Gilbert David qui a employé aujourd'hui le terme de palimpseste en parlant de mes textes. Cette superposition de signifiants rejoint parfaitement la notion de densité.

Lors de la deuxième table, où on a parlé principalement de *La hache*, on s'est interrogé sur la substance même des personnages. Certaines positions m'ont interpellé, ce qui est un peu normal puisque je viens d'en faire la mise en scène et que je suis encore imprégné des choix que j'ai faits en montant ce texte. C'est davantage le metteur en scène que j'ai été qui s'est donc interrogé. L'auteur, quant à lui, a aimé entendre différentes façons de voir sa pièce. Ainsi, on a mis avec raison l'accent sur la transmission. *La hache* est évidemment une pièce sur la transmission : un professeur de littérature tente de transmettre l'inexprimable à son étudiant, dans un contexte ambigu. Le fait-il pour se sauver lui-même ? Pour sauver son étudiant ? En mettant l'accent sur la relation ambivalente entre le prof et l'étudiant, on donne une valeur plus psychologique que politique – ou à la limite philosophique – au texte. Et, bien sûr, le texte alimente cette interprétation. En tant que metteur en scène de *La hache*, j'ai dû faire des choix. C'est le thème de la pureté, ou plutôt la notion de pureté qui m'a guidé. J'ai voulu l'interroger à travers le fantasme de la littérature et les idéologies d'extrême droite. La notion de pureté peut être associée à celle de souillure, de contamination. Ça implique le rejet de l'autre et une forme de fétichisme de la pensée : quelqu'un va se fixer sur un ensemble de valeurs, de croyances, s'identifier avec celles-ci au point de ne plus pouvoir les relativiser. Ce qui l'amènera inévitablement à rejeter tout ce qu'il croit non conforme à son point de vue. C'est à l'origine des guerres, des conflits, des génocides. J'ai élaboré ma mise en scène de *La hache* en posant en majeure le procès de la pureté et en mineure la relation ambivalente entre le prof et son étudiant – le prof, d'une certaine façon, *est* aussi l'étudiant, comme ce dernier *est* aussi le prof.

On a aussi relevé le fait que mes personnages apparaissent et disparaissent, que leur *être* est évanescent, et que cette oscillation existentielle pose un défi pour les acteurs. Claude Poissant et Boris Schoemann ont d'ailleurs très bien expliqué tout à l'heure la difficulté de jouer ce genre de personnages. Au fond, ce par quoi je suis fasciné et ce qui, texte après texte, revient sous différentes variantes, c'est la construction de l'ego. Cette récurrence me vient en partie de mes lectures d'adolescent : surtout celles de Sartre. J'ai lu *L'être et le néant* comme un roman. Mais, avant ce livre, j'avais lu *La transcendance de l'ego*, un petit livre dans lequel il explique comment l'ego se construit. L'ego est un objet transcendant, situé hors de la conscience, au même titre qu'un verre d'eau ou une table. Pour le jeune homme que j'étais alors, ce fut toute une révélation ! Un nouvel horizon de pensée et de comportement s'ouvrait devant moi. À la suite de Sartre, je me disais : "Eh bien, oui, c'est vrai, je suis construit par le regard des autres. Mais j'ai aussi la possibilité de me construire à partir de ce que les autres ont fait de moi. Je suis libre de me déconstruire et de me reconstruire !" C'est sans doute à l'origine de l'importance que j'accorde au comportement ludique, au point où j'ai fini par nommer "anatomie ludique" l'approche de jeu que j'ai développée au fil des ans en tant qu'acteur et comme pédagogue qui forme des acteurs. Cette conception existentielle de l'ego et de la conscience qui le pose comme objet, a été "complétée", si je peux dire, par ma formation d'acteur de kathakali où le personnage, avant d'être une "substance psychologique", est abordé comme un ensemble de gestes codifiés que seul un travail de segmentation préalable rend possible. En écoutant aujourd'hui les différentes interventions sur mes textes, je me suis dit : "Pas de doute, j'ai, comme écrivain et comme acteur, une approche plus orientale qu'occidentale. Je prends du plaisir à démonter l'ego, à le faire apparaître pour mieux le faire disparaître, à le faire sauter comme une puce d'un corps à un autre." Car on a beaucoup parlé aujourd'hui de démembrement, de déflagration, d'éclatement. Thomas Dommange a aussi soulevé la question du "corps sans âme". C'est juste. C'est le mot "corps" qui traverse ce que j'écris et qui caractérise mes personnages. Le mot "âme" m'apparaît suspect quand je l'utilise. Mais ce n'est pas l'indice d'un désespoir profond. Pour moi, *le corps du personnage est l'âme de l'acteur.* Je ne biffe pas le mot "âme". Je le kidnappe, c'est vrai, et lui donne un sens singulier. Je mets l'accent sur le *jeu*, dans tous les sens du mot : avoir du plaisir et avoir aussi de la distance, un regard qui se donne une marge de manœuvre.

Paul LEFEBVRE : Ce sont là des propos extrêmement riches que l'on souhaiterait relancer, mais nous avons déjà dépassé le temps accordé pour cette table ronde. Je voudrais vous remercier de votre attention, et surtout remercier Boris Schoemann, Claude Poissant, Keith Turnbull et, bien sûr, Larry Tremblay d'avoir été si généreux de leur pensée.

Transcription du verbatim par Éric Samson-Lemère, revue par les participants.

Notes et traductions :

1- Cette table ronde, dans le cadre de l'Atelier *Transfigurations. Simulacres et déréalisation du sujet dans le théâtre de Larry Tremblay*, a eu lieu le 30 mars 2007 à l'Espace GO à Montréal.

2- Larry Tremblay, *Le ventriloque*, Carnières-Morlanwelz, Lansman Éditeur, coll. "Norcturnes Théâtre", 2001, p. 4.

3- Keith, lorsque vous avez traduit *Le ventriloque*, saviez-vous que vous alliez en faire la mise en scène ?

4- Non. Je venais juste de rencontrer Larry Tremblay et je travaillais avec lui au développement d'un nouvel opéra, intitulé *A Chair in Love,* dont il avait écrit le livret. Afin de me familiariser avec son écriture, j'ai commencé à lire toutes ses pièces et plusieurs de ses autres écrits. Quand je suis arrivé au *Ventriloque*, je l'ai ouverte sans pouvoir la refermer ; ça a été l'une de ces expériences étonnantes : j'étais comme dans des montagnes russes, stupéfait à chaque tour, mais jamais perdu, sachant toujours où je me trouvais. Quand je l'ai eu terminée, dans une espèce d'euphorie adolescente quelque peu embarrassante, j'ai remarqué que je l'avais lue à peu près dans le même temps que j'aurais pris si j'avais lu une pièce en anglais de la même longueur. Puis, je me suis dit : "Tu crois que c'est bon simplement parce que ton français est mauvais, et tu l'as sûrement mal lue." Je l'ai donc traduite pour savoir si je l'avais vraiment aimée. Mais je n'ai jamais imaginé que ma traduction irait plus loin; je l'ai d'abord faite pour moi.

5- Puis, comment cela a-t-il évolué ?

6- J'ai découvert que je n'avais pas du tout mal interprété la pièce et j'ai décidé de la monter. Alors, je me suis donc mis à la recherche d'un vrai traducteur. Avec certaines pièces, et *Le ventriloque* est l'une d'entre d'elles, l'essentiel pour le traducteur est de vraiment connaître l'univers dans lequel la pièce va être traduite. J'ai demandé à Paula Danckert du Playwrights' Workshop Montreal de me suggérer un traducteur, tout en faisant l'erreur de lui faire lire mon tout premier jet. Surprise ! Surprise ! Elle m'a recommandé de la traduire moi-même, et cinq versions, deux ateliers, et une production plus tard, la voici !

7- Et alors cette production ?

8- Le théâtre de langue anglaise n'est pas vraiment porté vers ce genre d'univers dramatique. Il n'a pas vraiment développé de goût pour le pur classicisme d'un Racine ou l'absurde d'un Ionesco. *Le ventriloque* est un peu comme si Racine rencontrait Ionesco sous l'effet de la drogue. J'ai finalement trouvé un producteur, Ken Gass du Factory Theatre de Toronto, un producteur vraiment très patient. Ça a pris trois ans à partir du moment où Ken Gass a décidé de la produire. À cause de la difficulté de réunir la distribution au même moment où le théâtre serait disponible. Je voulais faire une production qui, je ne savais pas comment, se réduirait plus ou moins à une porte, deux chaises et quelques acteurs, ce qui rendait le choix de la distribution plus crucial que d'habitude. Environ un an plus tôt, j'avais réalisé une production de *Britannicus* de Racine à – croyez-le ou non pour ceux qui connaissent la ville – Calgary. J'ai travaillé avec une jeune actrice, Meg Roe, que j'avais vue auparavant mais que je n'avais jamais dirigée. Pour cette production, j'ai eu l'occasion unique, pendant environ une semaine et demie, de faire un atelier sur le texte avec la distribution. Mon approche est très précise pour les textes anglais, reliant ponctuation, respiration, rythme et personnage; cette approche n'est pas si exceptionnelle mais elle est très détaillée. C'était, pour Meg, tout à fait nouveau et elle a été merveilleuse. Elle était aussi, dans mon esprit, la parfaite Gaby.

9- Puis j'ai commencé à chercher quelqu'un pour le Docteur Limestone. Je voulais absolument un acteur noir. L'univers de la pièce se situe dans une ville assez grande pour avoir des psychiatres, assez grande pour avoir une station de télévision, assez grande pour avoir une université, mais pas suffisamment grande pour être la "Grande Ville". Il y flotte aussi une certaine atmosphère des années 50. J'ai transposé cette époque dans une petite ville provinciale blanche et anglo du Canada, par exemple en Ontario ou dans l'Ouest. J'ai aussi senti que le thème de la transgression est très important dans la pièce. L'auteur s'amuse de notre rectitude politique avec toute une série de tabous, autant de portes auxquelles il vient en quelque sorte frapper. Choisir un acteur noir pour le rôle du Docteur Limestone met à l'épreuve notre prétendue rectitude politique "post-raciste". Est-ce que nous avons réellement, ma communauté et moi, échappé à notre héritage raciste ? Je suis né dans une petite ville en Ontario et, sauf dans des films, je ne pense pas avoir vu une personne de couleur avant mes treize ans. Avec le Docteur Limestone et Gaby, j'ai certainement voulu vérifier si quelqu'un allait frapper à la porte de ce soi-disant lieu commun : "Si nous laissons entrer tous ces hommes noirs, ils vont prendre toutes nos filles." *(Rires)* Et personne n'est venu répondre, même si beaucoup de monde était à la maison. Bien sûr, il y a de nombreuses autres raisons textuelles et thématiques pour le choix de cette distribution.

J'ai finalement trouvé l'acteur que je cherchais, Nigel Shawn Williams, un acteur possédant un merveilleux jeu physique et une très grande expérience des pièces à texte, écrites dans une langue exigeante. Une fois trouvés les deux principaux acteurs, il a fallu trois ans pour produire la pièce, étant donné que leur carrière à tous deux venait de décoller. Les directeurs artistiques ne sont pas friands des metteurs en scène qui leur disent : "Je ne ferai pas le spectacle si je n'ai pas ces deux acteurs et, en passant, l'actrice doit prendre l'avion de Vancouver pour Toronto. Et, par-dessus le marché, elle va devoir racheter tous les billets de l'avant-première parce qu'elle doit reprendre l'avion, juste avant la première, pour un jour de tournage."

Une fois cela réglé, pour les autres personnages hors-scène, je me suis mis à la recherche de deux acteurs possédant une solide formation en travail de texte et en radio. Pour le public, je tenais à ce que ces "voix" renvoient à des gens très différents. Et c'est ce que j'ai obtenu.

10- Vous avez donc eu deux autres acteurs pour faire les six voix.

11- Oui.

12- Parce que je voulais, pour la toute fin de la pièce, une autre virée en montagnes russes, la mère de Parker a été jouée avec un accent jamaïcain. Donc, tout à coup, sans avertissement, une page totalement nouvelle de sa vie est révélée à Parker à la dernière scène. Toutefois, parce que l'actrice a été largement associée tout au long de la pièce à la mère de Gaby et à son amie Léa, on obtient une image mentale d'une personne blanche de classe moyenne. Puis, lorsque le rideau tombe, se produit un autre revirement quand le public découvre une actrice noire se faisant applaudir : "Ah oui, c'est vrai, culture et race ne sont pas la même chose."

13- Keith, quelles ont été les difficultés principales de répéter avec les acteurs un tel texte, parce que c'est très éloigné du théâtre nord-américain typique ?

14- Le théâtre canadien-anglais est dominé quelque peu par la technique britannique, mais beaucoup plus par la croyance fondamentale de "l'approche américaine Stanislavski/Marlon Brando" selon laquelle "le mot est l'expression du moi". Cette dramaturgie est dominée par l'idée que la fiction vient de la réalité et qu'elle est fabriquée à partir d'elle. Alors que, dans *Le ventriloque*, la fiction crée la réalité, le verbe crée le monde. "Au commencement était le verbe."

Je travaille en partant de l'idée que "C'est de la musique, c'est du texte. Ne me demandez pas qui vous êtes. Dites le texte afin de savoir qui vous êtes." Il existe une phrase qui vient du théâtre de la Renaissance : "On doit penser avec sa langue", vous ne savez pas qui vous êtes ou ce que vous ressentez avant de l'avoir dit. Ce qui, dans le cas du *Ventriloque*, demande à chaque performance d'être un numéro de haute voltige, sans filet, parce que, dans le meilleur des cas, l'acteur improvise littéralement la performance. Techniquement, les acteurs doivent être énormément préparés, compétents au point de ne pas avoir à se soucier de la technique, d'improviser la partition et de donner, en même temps, la note parfaite.

Figures et rituels
dans le théâtre
de Larry Tremblay

Abraham Lincoln va au théâtre de Larry Tremblay
Mise en scène de Claude Poissant
Une production du Théâtre PàP, Montréal, 2008
Sur la photo : Benoît Gouin, Maxim Gaudette et Patrice Dubois

Photographe : Suzane O'Neill ©

La stratégie du miroir.
Rites génétiques dans *Le ventriloque* et *Abraham Lincoln va au théâtre*

Yves JUBINVILLE

Les réflexions qui suivent s'inspirent d'une recherche entreprise en 2004 et centrée sur la genèse du texte de théâtre contemporain. Cette démarche découle elle-même d'un projet d'édition critique actuellement en préparation[1]. Dans ce travail, l'abondance des matériaux textuels traités a complexifié l'opération qui consistait, au départ, à documenter la série des transformations subies par le texte des *Belles-sœurs* de Michel Tremblay entre le moment de sa conception en 1965 et ceux, enfin, de leurs éditions successives. Mais c'est paradoxalement le caractère lacunaire de cette documentation, en même temps que la difficulté de reconstituer l'histoire du texte à partir des seuls témoignages, qui ont pavé la voie de l'approche génétique. Au-delà des *accidents scripturaires* menant à la production d'une œuvre unique, il fallait désormais élargir l'horizon de recherche à d'autres textes du répertoire contemporain pour ainsi prendre la mesure des facteurs qui conditionnent le processus de fabrication des textes de théâtre.

Le concours d'auteurs d'ici et d'ailleurs pour constituer un corpus préliminaire a été la première étape à franchir. À partir de là, certaines hypothèses de travail ont pu être formulées relativement à ce qu'il faut appeler, dans l'esprit de la génétique, les "pratiques d'écriture"[2] pour le théâtre. À ce jour, la recherche porte sur pas moins de six dossiers génétiques[3] couvrant quarante ans de création dramatique au Québec et en France. L'un d'eux, à l'évidence le plus riche en ce qui concerne sa composition et ce qu'elle révèle sur le travail de l'écrivain de théâtre aujourd'hui, retrace toutes les étapes de l'écriture du *Ventriloque* de Larry Tremblay.

L'intérêt du dossier génétique du *Ventriloque* se trouve précisément dans la diversité des matériaux d'archives de même que dans la durée du processus d'écriture. L'une et l'autre soulèvent plusieurs interrogations, notamment en regard de la valeur et du statut de l'œuvre achevée par rapport aux différents états, parfois très aboutis, du même texte. S'agit-il d'ailleurs du *même* texte ? C'est l'une des questions essentielles de la génétique qui postule que l'achèvement d'une œuvre n'est qu'un moment de sa création, pouvant d'ailleurs échapper à la volonté de l'auteur, et qu'il vaut mieux, par conséquent, se tourner vers la fabrication de l'œuvre pour ainsi repenser la question du sens dans l'optique d'un *projet à faire* et non d'un *produit à interpréter*. Cette question précise sera reprise plus loin dans ces pages au moment d'analyser les pièces constitutives du dossier dont la liste est dressée en annexe. Dans l'immédiat, elle permet de cerner l'étendue des problèmes soulevés par la critique génétique du texte théâtral, laquelle ne saurait être détachée des préoccupations récurrentes des études dramaturgiques classiques. En définitive, il s'agit de savoir de quelle nature sont les liens qui relient entre elles les *manières* d'écrire pour la scène et les *formes* multiples de l'écriture dramatique contemporaine.

Dans son ouvrage-synthèse de 1994, *Éléments de critique génétique*, Almuth Grésillon soulève cet enjeu en évoquant la possibilité de classer les manuscrits en deux catégories : ceux relevant d'une *écriture à programme* et les autres découlant d'une *écriture à processus*, suggérant au passage que le second type correspond davantage à l'esprit qui anime les auteurs modernes réticents à s'enfermer dans la cage d'un plan préalable et préférant se laisser porter par l'énergie de l'écriture. Si ce schéma duel apparaît aujourd'hui largement contesté (et même dépassé), cela n'invalide pas pour autant l'hypothèse selon laquelle toute création cherche à s'inscrire dans un mouvement en partie déjà scénarisé. Écrire est une activité quotidienne, tendue entre le privé et le public, guidée à la fois par la recherche de singularité et la référence à des lieux communs, mais qui s'indexe également à un ensemble de gestes, d'habitudes et d'attitudes qui infléchissent son impulsion initiale. La notion de rite, empruntée à l'éthnologie, décrit bien ce phénomène. Pour Dominique Maingueneau, les rites d'écriture sont significatifs en ce qu'ils donnent une cohérence aux "comportements mobilisés au service de la création"[4]. Nombreux sont les textes, tous genres confondus, qui en font le nœud d'une intrigue ou le décor sur lequel se profile la fiction. Mais avant d'être figurés dans les oeuvres, ces rites sont d'abord donnés à voir et à comprendre dans l'espace construit par l'ensemble des brouillons, des manuscrits, des notes et des réécritures, bref dans ce que la génétique appelle les avant-textes.

La première partie de cette analyse propose donc de suivre la trace de ces gestes liminaires formant la trame du récit que composent les neuf pièces du dossier génétique du *Ventriloque*. Dans la deuxième partie, l'attention se tourne vers la fictionnalisation des rites d'écriture en partant d'exemples tirés d'un autre texte du même auteur. À cet égard, la référence à la modernité littéraire et dramatique peut être instructive. Qu'il suffise d'évoquer les noms de Pirandello, de Proust, de Valéry et de Ponge. Voilà des auteurs dont la poétique repose, pour l'essentiel, sur l'interaction constante et dynamique entre le contenu (narratif) de l'œuvre et les conditions (changeantes, incertaines) de son énonciation. Des facteurs historiques expliqueraient ce phénomène selon Dominique Maingueneau qui fait notamment remarquer combien les stratégies qui en découlent apparaissent comme en réaction au fait que le discours littéraire se dérobe à toute forme de classification générique ou d'instrumentalisation sociale, dont la meilleure preuve serait l'effritement du système des genres à la fin du XIXᵉ siècle. Il en résulterait une sorte de nomadisme des formes appelées ainsi à reconstruire elles-mêmes, dans le miroir de la fiction, les conditions propres à leur consommation. Partant de cette hypothèse, la présente analyse se penche sur ce qu'il faut bien appeler, chez Larry Tremblay, une "stratégie du miroir" qui pointe en direction d'une mise en scène de la genèse ou de son processus de création, d'où l'emploi ici de la notion de "rite génétique"[5], empruntée à la linguistique, et désignant, par-delà les comportements d'un créateur imaginaire, le lieu même de production du discours. Ce lieu sera, pour nous, la *répétition*, mot entendu dans le double sens d'une action réitérée et d'une durée (espace-temps) créatrice que lui confère l'activité théâtrale. Cette portion de l'analyse prendra appui largement sur *Le ventriloque* ainsi que sur la pièce *Abraham Lincoln va au théâtre*[6].

Écrire la métamorphose

L'écriture du *Ventriloque* se sera échelonnée sur pas moins de sept années, pendant lesquelles le projet aura adopté autant de formes que de titres. De *Satanés seize ans* en 1994 jusqu'à *L'idole de mes seize ans* en 1999, en passant par *Roger couché sur la table* en 1994-1995 et encore *Balzac, Parker et moi* en 1998-1999, le texte de Larry Tremblay subit de profondes métamorphoses au point, disait-on, qu'il convient de se demander si l'on est, dans chaque cas, en présence du même texte. Et encore ne s'agit-il ici que de la portion la plus visible de l'iceberg dans ce dossier génétique. Un coup d'œil sur l'annexe permet de constater aisément que celui-ci comporte un large éventail d'éléments dont certains échappent à la catégorie générale des "écrits" ou des "textes" et qui, de ce fait, commandent une autre "lecture". La conférence publique, présentée à la Fédération internationale de la recherche théâtrale en 1995, et l'atelier-démonstration qui l'accompagne, présentent des cas éloquents d'un matériau non scripturaire mais indispensable à la compréhension du processus d'écriture. Il en va de même du travail préalable (à la conférence de 1995) de l'auteur avec la comédienne dont le nom (Marie-France [Goulet]) se trouvera placé en exergue de l'édition Lansman de 2001. On peut parler ici d'un continent enseveli (faute de traces lisibles) qui marque les limites de toute étude génétique, alors que l'on sait, au moyen d'autres sources, l'importance que ce travail revêt de la part de l'auteur[7].

Pareil tableau suggère de constants allers-retours entre la page et le plateau. il importe de signaler toutefois que ce mouvement n'implique pas, à ce stade préliminaire d'élaboration du texte, les metteurs en scène de la pièce qui, en 2001, proposent deux productions distinctes, l'une à Paris (Gabriel Garran) et l'autre à Montréal (Claude Poissant). La lecture des "avant-textes" nous apprend que cette tension entre l'écriture et la scène existe déjà en amont du travail scénique – ce qui confère une autonomie à la production dramatique – et passe surtout par l'expérience du jeu, plus précisément par une réflexion en acte sur ce que Larry Tremblay appelle les *hémicorps* et dont les multiples étapes de création du *Ventriloque* seraient comme autant de laboratoires ou exercices servant à en saisir et à en maîtriser les pouvoirs. Dans le cahier de notes manuscrites MS94, l'auteur formule ainsi, en marge de ces ateliers exploratoires, l'interrogation qui va orienter son projet : "comment jouer un personnage qui a plusieurs corps ?" (MS94). Retournant la question à notre profit, il conviendrait d'ajouter : comment *écrire* avec plusieurs corps ?

Dans la perspective offerte par la génétique, le cas du *Ventriloque* s'éloigne résolument du modèle traditionnel où les rites et protocoles d'écriture procèdent de l'inscription de l'auteur dans un espace de production bien balisé qui prescrit à chacun une place et délimite son rayon d'action. L'exemple du naturalisme (Flaubert et Zola), largement documenté par les généticiens, illustre bien la structure intégrée que cela implique où l'écriture ne se conçoit guère sans la "cérémonie" documentaire qui la précède et qui positionne l'écrivain en tant qu'observateur de la réalité, commandant par le fait même une lecture "engagée" des textes. Rien de tel avec Tremblay au sens où la marche de l'écriture ne sent guère le plan établi par une norme générique ou dramaturgique. La plongée dans les archives offre plutôt l'image d'un éclatement des frontières de la création, d'un jeu de métamorphoses par lequel le sujet-créateur se transfigure sans cesse à l'image de son texte. Ce constat rejoint celui de Dominique Maingueneau quand il parle de *paratopie* de l'écrivain : "L'appartenance au champ littéraire n'est (…) pas l'absence de tout lieu, mais plutôt une difficile négociation entre le lieu et le non-lieu, une localisation parasitaire, qui vit de l'impossibilité même de se stabiliser."[8] Cette in-assignable place est ce qui nourrit en effet le texte de Larry Tremblay et lui prête, dès l'étape de la conception du projet, un caractère problématique.

Il importe de souligner que cette dimension transparaît dans les avant-textes, même s'il n'est pas interdit de faire la même observation à partir du texte achevé et publié, notamment en regard du motif central de la ventriloquie mais aussi de la question du genre, à laquelle nous reviendrons. Dans le premier document manuscrit (MS94), rédigé entre 1994 et 1998, la figure du créateur s'inscrit délibérément sous le signe de la pluralité. Classé dans la catégorie des écrits pré-rédactionnels, ce journal de création sert à consigner des réflexions diverses, à dresser le plan de certaines scènes ou tableaux, à dessiner enfin le contour des personnages qui, soit dit en passant, n'accèdent que difficilement, à ce stade du processus, au statut d'êtres parlants (locuteurs)[9]. D'où la question que soulève sa lecture : qui parle dans ce journal ? qui commande l'opération d'écriture ? À l'évidence, il s'agit d'une instance qui oscille en effet constamment entre plusieurs positions : celles de l'écrivain, de l'acteur, du metteur en scène, du spectateur, voire celle du chercheur/pédagogue. Instance qui porte en elle la possibilité même d'une multiplicité de discours et d'identités, à la manière du ventriloque, lesquels font de l'écriture une opération ouverte sur l'ensemble des activités du théâtre : texte, jeu, scénographie, rythme, voix, objet, réception, etc.

Dans la reconstitution de la genèse de la pièce, cette pluralité, qui est aussi le signe d'une d'instabilité, explique largement ce qui se lit comme l'indécision formelle de la pièce ainsi que son caractère inchoatif. Dans les étapes préliminaires, l'écriture explore différentes esthétiques et emprunte à différents modèles, dont ceux du cirque (l'auteur parle de "*sketches* à faire") et de la marionnette, pour construire la trame narrative et surtout pour relancer l'écriture sur de nouvelles pistes. C'est là que l'entreprise se rapproche le plus d'une forme de ritualisation dont le scénario va très certainement informer le texte final, fondé lui-même sur l'idée de recommencements et de reprises ; scénario à l'image d'un processus de création qui mise notamment sur l'instant liminaire, sur les amorces de toutes sortes, pour produire des métamorphoses, ce qui, chez Tremblay, signifie produire de la vie et du sens.

Seuils et répétition dans *Le ventriloque* et *Abraham Lincoln va au théâtre*

On aura compris que le texte achevé du *Ventriloque* se présente comme un jeu de miroir réfléchissant les conditions de sa propre genèse, ce que synthétise bien, du reste, le *Lever de rideau* en forme de scène-gigogne, dans lequel la poupée déballe un cadeau qui en contient un autre, puis un autre… Précisons, pour conclure notre analyse du dossier génétique, que cette scène en est une parmi plusieurs conçues sur le même schéma, dont la toute première, consignée dans le cahier manuscrit de 1994, suggérait déjà "Douze façons de tuer son frère". L'image inspire quelques observations au sujet de l'action dramatique de la pièce. Celle-ci, qui semble épouser le mouvement réglant le travail de l'écrivain dans son atelier, trouve son moteur dans le passage du seuil et dans le principe de répétition. Aussi bien dire qu'il y a du Feydeau et du Labiche dans l'écriture de Larry Tremblay. On comprend, par là, que l'auteur construit son drame un peu sur le modèle d'une comédie de boulevard ou d'un vaudeville dans la mesure où ses formes reposent aussi, à leur manière, sur la relance permanente du désir du spectateur à éprouver la surprise.

Pareille stratégie serait toutefois conçue pour orienter, guider, redynamiser l'écriture elle-même. On connaît le procédé classique qui consiste à multiplier les entrées et les sorties, à faire claquer les portes, à pratiquer toutes sortes d'ouvertures comme des leviers servant à exacerber la théâtralité. À la différence du *Ventriloque*, la "pièce bien faite" de la fin du XIXe siècle procède ainsi pour contrer le pouvoir de pétrification qui guette la forme dramatique. Avec Tremblay, parlons plutôt d'une dynamique qui relève davantage de la pulsion ludique à la base de l'écriture et qui met en cause d'abord et avant tout le travail de l'acteur. À l'étape de la représentation, on devine que chaque transition, introduite par ces "coups frappés à la porte", serviront à ouvrir un canal de communication non pas tant entre le personnage et le spectateur mais entre les différents corps de l'acteur, et ce dans le but de *vectoriser* ses métamorphoses successives.

Ces remarques nous entraînent logiquement vers l'analyse de la fable dramatique et du personnage de Gaby, aspirante romancière qui cherche à retrouver sa plume, au sens propre et figuré du terme, plume qu'elle aurait perdue en même temps qu'on lui coupait ses tresses. Ce résumé n'est sans doute pas très fidèle au texte mais l'amalgame qu'il opère entre l'écriture et les cheveux de la jeune fille sert à mieux mettre en lumière le fait que se profile dans toute la pièce le vieux *topos* du rite de passage. C'est ainsi que plusieurs scènes montrant Gaby en train d'écrire trouvent leur signification dans le fait de mettre en scène un sujet isolé, en rupture de ban, mais surtout appelé à changer constamment. En témoigne ce passage :

> *(Le rideau s'ouvre. Une chambre plus vide que pleine. Gaby écrit)*
>
> **Gaby** : Il était une fois une jeune fille… *(Elle réfléchit, puis biffe)*… Il était une fois un jeune homme… un jeune homme d'une grande beauté. Il s'appelait… Martin… non… Antoine… non… André… non… Charles… *(Une mouche bourdonne et dérange Gaby. Elle la chasse avec sa main sans succès. Elle la poignarde finalement avec son stylo et reprend son récit)* Il était une fois un jeune homme d'une grande beauté. Il portait un nom évocateur de... de… *(Elle regarde la mouche qu'elle vient de tuer)*… de Ventre-de-mouche, car ses yeux possédaient les reflets chatoyants d'une mouche poignardée par le soleil. Ce jeune homme se comportait comme un… comme un jeune homme. Ce qu'il ne savait pas, c'est qu'il était en réalité un… un… un oignon! "Pouah ! Un vulgaire oignon !" Un jour, une jeune fille aperçoit Ventre-de-mouche. Elle tombe amoureuse de lui, lui fait la cour et finit par obtenir ce qu'elle convoite : un baiser profond.
>
> *(On entend frapper à la porte)* (*V*, 12)

La configuration de cette séquence rappelle bel et bien le rite de passage décrit par l'ethnologue français Van Gennep dans son ouvrage classique de 1909[10]. Ce dernier identifiait trois phases dans la cérémonie rituelle : la séparation, la marginalisation et l'agrégation. Celles-ci ne sont pas toujours consécutives ni bien délimitées entre elles. On conviendra toutefois que l'activité d'écriture à laquelle se livre notre personnage renvoie à la phase intermédiaire, aussi appelée liminaire, qui désigne le moment où le sujet se retrouve dans une sorte d'état transitoire correspondant à un vide (une mort) identitaire. Pour Van Gennep, à qui Victor Turner[11] empruntera l'essentiel de sa théorie sur la *communitas* ou "communauté liminaire", le rite de marge soustrait l'individu aux catégories sociales et désigne, pour la communauté, celui qui à la fois inquiète et stimule son désir de renaissance.

La dramaturgie de Larry Tremblay compte plusieurs de ces marginaux qui, à l'exemple de Gaby, font l'expérience du déclassement et de la décomposition. Ce que Jean-Pierre Sarrazac appelle les *créatures*[12] de la dramaturgie contemporaine, groupe composé de revenants, d'êtres embryonnaires et souvent hybrides, adopte dans cette œuvre les figures du *Dragonfly*, de l'Ogre et, ici, du Ventriloque, chacune marquée par la mutilation de son nom, de sa mémoire, de sa langue, de son corps, bref de tout signe ou insigne renvoyant à un statut ou à une identité donnée et stable. À travers l'exploration de ces figures, l'auteur rend compte d'une expérience que l'on pourrait, à cet égard, qualifier d'archaïque mais qui est aussi celle à laquelle nous convie le monde contemporain et qui consiste à s'affranchir de soi (de ses identités de prescription) pour atteindre la pleine réalisation de son être. Dans *Le ventriloque*, la petite Gaby aspire à devenir Autre dans le double mouvement qui la conduit, par l'écriture, à épouser symboliquement son frère Aurélien et à le tuer. Écrire signifie pour elle engendrer le monstre qui dévorera la jeune fille pour enfanter l'écrivain.

Dans *Abraham Lincoln va au théâtre*, pièce datée de 2005, on a affaire cette fois à des comédiens aux noms-écrans de Laurel et Hardy, formant, avec un metteur en scène, une troupe engagée dans le projet de monter le spectacle de Marc Killman, depuis disparu, sur l'assassinat du Président des États-Unis lors d'une représentation de *Our American Cousin* en 1865. Cette pièce labyrinthique, inspirée d'une anecdote historique livrée à d'infinis jeux d'interprétation, se donne à lire comme une enquête (policière) sur l'identité de l'acteur. Ce qui intéresse pourtant, ce n'est pas tant qu'il s'agit d'un portrait de créateur mais bien que le texte thématise, là encore, l'idée de genèse. Genèse d'un spectacle faisant le récit d'une représentation avortée, celle de 1865, qui a marqué un tournant dans l'histoire américaine. Genèse aussi de l'aventure créatrice de Killman, qui n'aura laissé pour unique trace de ses intentions que le manuscrit troué, délabré, d'une mise en scène imaginaire.

Dans le récit que font, alternativement, les deux comédiens des répétitions menées par Killman apparaît l'image d'un art, le théâtre, qui se définit, là encore, bien moins par l'événement public qui est censé en constituer le point d'achèvement, que dans la durée par laquelle la troupe expérimente la discontinuité de l'existence et du monde. Le mot de répétition comporte en ce sens une bonne dose d'ambiguïté que l'auteur s'amuse du reste à entretenir. Créer serait tout le contraire de reproduire; mais l'enjeu, chez Larry Tremblay, ne se trouverait pas moins à ce niveau si l'on pense qu'il s'agit toujours pour le créateur d'engager la lutte avec ce qui est pré-construit (les lieux communs), donné d'avance, y compris tout ce qui relève de l'ego, afin de pouvoir le mettre en suspens, le déjouer, au moyen par exemple de la variation[13], et rendre ainsi possible la métamorphose, la conversion, pour dire les choses autrement, du sujet en oeuvre.

Conclusion

Ces observations sur la genèse comprise comme un champ d'expériences pointent dans la direction vers laquelle nos recherches devraient à l'avenir s'orienter. Le cas Larry Tremblay, examiné ici à partir de deux textes publiés mais également d'un dossier composé d'un ensemble hétérogène de brouillons, de notes et morceaux pré-rédactionnels, commande en effet de réviser quelque peu la façon dont sont conduites généralement les études génétiques. Attentives prioritairement au contenu linguistique, celles-ci sont d'ordinaire centrées sur les phénomènes de textualisation : ratures, biffures, substitutions, ajouts, suppressions, déplacements, etc. et comportent, de ce fait, une large part de description et de classement de la matière textuelle. Sans vouloir se soustraire à cette nécessité d'objectivation, il apparaît maintenant essentiel de déplacer l'attention vers le "procès de subjectivisation" que met en scène la genèse de l'œuvre. Il n'importe pas tant de savoir si telle ou telle rature ou permutation est consciente ou inconsciente, mais bien d'ouvrir l'analyse sur le travail de la forme (dramatique, plastique, langagière) comme série d'opérations, de stratégies, de techniques servant à échafauder la position – mais il faudrait aussi parler de *dispositions* d'esprit et de corps – du créateur face à lui-même et au devenir du texte.

On aura compris, s'agissant du texte de théâtre, que le devenir scénique de l'écriture est en jeu. Écrire pour la scène aujourd'hui n'irait plus de soi. Sauf peut-être dans les cas de productions en régime collectif, le travail s'effectue dans un cadre à géométrie variable où l'exigence de créer est plus que jamais confrontée à l'infini des possibles et où le sujet cultive l'incertitude face aux potentialités de la représentation. Le mérite de l'analyse génétique, s'il en est un, est d'abord de pénétrer dans ce laboratoire d'expérimentation que sont devenues les écritures dramatiques. Le dossier du *Ventriloque*, par son abondance et sa diversité, en témoigne éloquemment. Mais il va de soi que son analyse doit être poursuivie et complétée par d'autres cas d'espèce ainsi que par une enquête du côté des modalités d'appropriation de la matière textuelle par les instances de production scénique (metteur en scène, scénographe, acteurs) dont les rites et procédures ont, à n'en pas douter, perdu eux aussi de cette régularité et de cette linéarité qui ont pu les caractériser. Cette double mission de la génétique dramaturgique, tournée à la fois vers l'écriture et vers sa mise en jeu, donne la mesure du défi qui l'attend afin de comprendre véritablement la part d'invention qui revient aujourd'hui à l'auteur de théâtre.

Notes :

1- *De la fabrication à la formation d'un classique. Édition critique et génétique des* Belles-Sœurs *de Michel Tremblay* (CRSH, 2006-2009).

2- Voir Almuth Grésillon, *Éléments de critique génétique, Lire les manuscrits modernes*, Paris, PUF, 1994.

3- *Les belles-soeurs* de Michel Tremblay (1968), *Les reines* de Normand Chaurette (1991), *Le ventriloque* de Larry Tremblay (2001), *Les sept jours de Simon Labrosse* de Carole Fréchette (1995), *Louisiane Nord* de François Godin (2004), *Cinéma* de Joseph Danan (2001).

4- Dominique Maingueneau, *Le contexte de l'oeuvre littéraire. Énonciation, écrivain, société*, Paris, Dunod, 1993, p. 48.

5- *Ibid.*, p. 5.

6- La version consultée de cette dernière pièce est celle présentée en lecture lors de la Semaine de la dramaturgie du Centre des auteurs dramatiques en 2006.

7- Pour un aperçu de la fréquence de ces ateliers de jeu, le chercheur peut consulter les notes consignées par l'auteur dans le document MS94. Celles-ci demeurent malgré tout fragmentaires et ne constituent en rien des comptes rendus des ateliers.

8- "Ces rites génétiques possèdent un double statut. Ils sont à la fois une réalité historique, que l'on peut scruter par la voie classique (documents, collecte de témoignages, conjectures...) et un symptôme des positions esthétiques qui sous-tendent les oeuvres." (Maingueneau, *op. cit.*, p. 50)

9- Le manuscrit traite davantage le matériau personnage comme instrument d'action, d'où la forme schématique des tableaux esquissés proches du canevas de la comédie.

10- Voir Arnold Van Gennep, *Les rites de passage : étude systématique des rites,* Paris, Éditions Nourry, 1981 [1909].

11- Voir Victor Turner, *Le phénomène rituel. Structure et contre-structure*, Paris, Presses universitaires de France, coll. "Ethnologies", 1990.

12- L'auteur parle de "personnages-créatures". Jean-Pierre Sarrazac, "Chapitre III", dans *L'avenir du drame*, Belval, Circé/Poche, 1999 [1981], p. 78.

13- Une étude reste à faire de la récurrence et de la variation dans l'œuvre de Larry Tremblay. Ainsi les textes du *Ventriloque* et d'*Abraham Lincoln* fournissent-ils de nombreux exemples de scènes ou de répliques reprises intégralement et qui placent l'écriture à l'enseigne de la métathéâtralité. Dans la perspective génétique, le procédé invite par ailleurs à réfléchir à la fonction "copier/coller".

Annexe : Dossier génétique
du *Ventriloque* de Larry Tremblay (1994-2001)

MS94 : Cahier de notes manuscrites (*Mains bleues, Téléroman, Satanés seize ans*) ; notes sur *Satanés seize ans* prises entre le 19 décembre 1994 et le 3 juin 1998.

T94-95 : Tapuscrit intitulé *Roger couché sur la table* ; abondamment annoté etraturé (recto verso) de la main de l'auteur ; 17 pages (8/11).

T95 : Tapuscrit intitulé *Satanés seize ans* ; texte tapé à la machine à écrire ; aucune rature ni annotation sauf pour le titre en première page (non paginé) ; texte paginé, à l'origine d'une démonstration faite lors d'une conférence présentée au Congrès de la Fédération internationale de la recherche théâtrale (Montréal, 22 mai 1995 : *L'acteur, l'actrice en scène*) ; 6 pages.

T95b : *Corps en jeu. L'utilisation des hémicorps comme technique de jeu* ; texte de la conférence donnée au Congrès de la Fédération internationale de la recherche théâtrale (Montréal, 22 mai 1995 : *L'acteur, l'actrice en scène*) ; 7 pages.

T95c : Captation vidéo de la conférence-démonstration ; format DVD (1:09:56).

T98-99 : Tapuscrit intitulé *Balzac, Parker et moi* ; texte annoté (recto verso) et paginé en deux parties, suivi de 7 pages de notes.

T99 : Tapuscrit intitulé *L'idole de mes seize ans* ; texte sans annotation ni rature ; 70 pages.

T01 : Tapuscrit déposé chez l'éditeur (Lansman, 2001) et remis aux metteurs en scène au moment de la création à Paris (G. Garran, mars 2001) et à Montréal (C. Poissant, novembre 2001).

V01 : Édition de référence du *Ventriloque* : Lansman, coll. Nocturnes Théâtre", n° 97, 47 p., 2001.

Faire vaciller les identités empruntées : le bal des créatures

Jean-Pierre RYNGAERT

Dans une partie de cette intervention, je tenterai de rapprocher ou de distinguer les créatures de Larry Tremblay des personnages ou des *figures* (pour reprendre une dénomination qui se répand chez certains auteurs et metteurs en scène en France) de quelques tendances des écritures européennes, notamment autour de la question de l'identité. Absolument pas pour les banaliser, bien au contraire, car il ne me semble pas que Tremblay soit réductible à mes exemples familiers, cités dans le livre écrit avec Julie Sermon[1]. Il a pourtant en commun avec quelques auteurs de se référer à l'univers des contes – une nouvelle mythologie – et de faire un usage très particulier de la notion de personnage. Du même coup, sa dramaturgie, difficile à classer, se rapproche parfois de celle de la performance et, parfois, relève sans aucun doute du théâtre. Une telle question gagne à être reliée à une autre : que voulons-nous voir sur scène, quels "personnages", quelles autres identités que les nôtres sommes-nous en mesure de contempler, de refuser, d'accepter ? La question est d'autant moins rhétorique que la fonction même du personnage est mise en cause aujourd'hui par les dramaturges.

Un ventriloque, une poupée, Laurel et Hardy, Abraham Lincoln sous la forme d'une statue de cire, une femme à la tête de chien, d'improbables danseurs amateurs qui jouent à leurs moments perdus les personnages d'un feuilleton télévisé, un Ogre, un artiste empilant dans son salon des os de poulets… Une rapide revue des personnages de Larry Tremblay confirme qu'ils présentent tous des signes très particuliers, et que ceux-ci ne vont pas fatalement dans le sens de la diminution ou de la perte d'identité que l'on peut constater chez quelques-uns de nos auteurs contemporains. Certes, ils correspondent rarement à l'identité sociale que l'on pourrait attendre de leur désignation ; en tout cas, ils ne donnent pas les preuves d'une quelconque stabilité identitaire, mais bien au contraire, présentent des indices de fragilité.

Beaucoup d'entre eux jouissent d'une sorte d'identité préalable et comme renforcée, antérieure à sa mise en jeu. Comme s'ils étaient fléchés, surlignés, surdéterminés au moment même de leur apparition, et que nous saurions donc à coup sûr ce que l'on peut en espérer. Mettre en jeu un ventriloque et une poupée, ou Laurel, ou Hardy, revient à laisser entrevoir (craindre, espérer) à l'acteur comme au spectateur, une forme de sécurité, ou, c'est le cas de le dire, une "routine", une convention de jeu établie dès la première seconde, un horizon d'attente. Là où tant d'auteurs afficheraient l'originalité et la nouveauté, ou éluderaient la question de l'identité du personnage, il semble que Tremblay la déplace en faisant semblant de la renforcer exagérément, quitte à la miner ensuite de l'intérieur, ou d'entraîner son lecteur vers une déception, puisqu'elle ne produira pas forcément ce qu'il pouvait attendre d'une si belle écorce promise à ses certitudes. Ces déstabilisations font intervenir la plupart des catégories dramaturgiques en coupant les liens logiques qui relient d'ordinaire le personnage ou son identité à ce qu'il dit et à ce qu'il fait. Ce qui permet, notamment du point de vue du jeu, d'envisager différemment la question des relations entre l'intérieur et l'extérieur, entre l'incarnation et la figuration. Quelque chose de repéré ou de connu est donné à endosser par l'acteur, peut-être un stéréotype, dont toutes les autres catégories dramaturgiques l'invitent ensuite à s'écarter ou tout au moins à le questionner. Comme si Tremblay renforçait exagérément la fonction personnage avant de la déstabiliser, que l'identité *empruntée* réglait une fois pour toutes la question de l'identité.

Formes identitaires

Il ne s'agit ici que d'un simple parcours rapide et indicatif, renvoyant, sous formes de brèves remarques, aux œuvres.

1.Tremblay fait usage d'artifices usuels des fictions communes, renvoyant éventuellement à l'enfance et au conte : une poupée représentant une jeune fille (incluse dans *Le ventriloque*[2]). Princesse (*Les mains bleues*[3]). Mais aussi l'ogre, seul personnage de *Ogre*[4].

2. L'identité réelle peut être empruntée à l'Histoire (de l'Amérique, pour Abraham Lincoln, dans la pièce du même nom, publiée chez Lansman). Des identités de fiction sont empruntées à l'Histoire du cinéma (Laurel et Hardy) ; dans les deux cas, ces identités sont connues du plus grand nombre, et jouent sur l'effet de notoriété.

3. Il arrive que les identités ne passent que par des voix (les corps sont absents). Dans *Le ventriloque*, Hortense, Léa, Étienne, Docteur Mortimer, Balzac et Talihuana sont "des personnages dont on n'entend que la voix".

4. Il faut faire une place aux personnages archétypaux. Comme Christophe, le chorégraphe de *Téléroman*, et ses crises "d'artiste"[5].

5. Les dualités sont les plus visibles, chaque identité pouvant immédiatement se "doubler" d'une identité seconde, avec des variantes très importantes : le ventriloque, bien sûr, mais aussi Princesse ("Personnage mixte : un corps de femme et une face de chien"). Dualité plus complexe : les jeunes de *Téléroman* discutent à perte de vue des motivations et des comportements des personnages du téléroman "Piscine municipale", au point de se mettre à les jouer[6]. La dualité

peut être plus subtile et faire appel à la relation intérieur/extérieur : Jérémie "s'immobilise souvent comme s'il s'absentait mentalement pour se reconstruire de l'intérieur." (*MB*, 4) Dans *Abraham Lincoln*, les personnages acteurs sont joués par des acteurs, eux-mêmes joués par des acteurs ; si Abraham Lincoln est une statue de cire, qu'y a-t-il dessous ? En fait, la plupart des dualités peuvent s'ouvrir sur des identités multiples, la dualité devenant alors la structure minimale, la mère de tout un système.

6. L'hybridation peut être inhérente à l'identité annoncée comme Ventriloque et Princesse, par exemple. Mais Ventriloque est aussi le Docteur Limestone et "il pourrait être noir" (noir/blanc).

7. Les identités dont l'artifice est fondé sur des simulacres avoués, des effigies (poupée, statue de cire) renvoient à la tradition des marionnettes et aux théâtres ritualisés.

8. Plusieurs de ces figures recoupent plusieurs catégories différentes.

9. L'onomastique[7] n'est pas systématiquement éclairante et elle propose une galerie diversifiée de personnages. Cependant, quelques noms ouvrent des perspectives et soulignent qu'il n'y a pas de limites au personnel dramatique de Tremblay : Balzac ct Gaby, Abraham Lincoln aussi bien que Laurel et Hardy. Mais aussi, dans la fiction écrite par la petite Gaby du *Ventriloque,* le jeune homme s'appelle "Ventre-de-mouche" et auparavant il était un oignon. On note les connotations sexuelles, comme pour Limestone qu'on peut entendre en franglais comme celui qui "lime la pierre", ou pour Parker, faisant référence à un stylo-phallus. Ceci dénote une totale liberté mais aussi une sorte de légèreté, les figures étant convoquées et nommées, puis renvoyées sans que l'auteur semble attacher une importance radicale à la vieille question des personnages.

Apparitions et métamorphoses

Ces identités sont parfois données d'emblée, et parfois amenées de manière surprenante. Il arrive qu'elles subissent des métamorphoses à vue, ce qui souligne encore leur instabilité ou, à rebours, l'apparente indifférence de l'auteur qui les fait "changer" quand il a besoin ou envie qu'elles changent[8]. Parmi les apparitions surprenantes, celle-ci dans *Les mains bleues* (MB, 34) :

> *Une femme tombe brusquement du plafond, pendue, de dos*
> **Jérémie** : Tu portais ton chandail
> j'avais jamais vu tes cheveux défaits
> pourquoi tu t'es pendue dans la cave
> *Jérémie s'approche du corps et le retourne vers lui*
> pourquoi
> *Le visage de la femme apparaît. C'est celui d'un chien. Jérémie recule, effrayé*

Immédiatement après, Princesse se met parler et elle tient des propos logiques, tournant autour de sa situation de pendue et faisant même de l'esprit macabre sur la langue tirée : "Je perds le souffle. Une grosse corde me serre le cou. On ne t'a pas appris à l'école qu'une grosse corde, bien serrée autour d'un cou, l'étrangle ?" (*MB*, 34-35)

Dans *Abraham Lincoln*, les duettistes Laurel et Hardy ne cessent de se transformer au gré des besoins de la fable, mais sans pour autant jouer les "utilités". Ceci est à explorer : il ne s'agit pas d'une dramaturgie où les personnages multiples servent l'action de manière efficace, des sortes de structures de rôles, mais où leurs transformations et leur statut même, instable, gouvernent le régime de l'écriture.

Identités et standards énonciatifs

Les paroles prononcées par les personnages ne correspondent pas forcément aux annonces identitaires, bien au contraire des écarts se créent. Quand le personnage porte une identité connue ou correspondant à un standard, il se crée un horizon d'attente : Laurel et Hardy vont-ils se conformer à une routine d'échanges de répliques qui nous est familière ? Le ventriloque va-t-il entamer avec Poupée le dialogue dont nous connaissons le scénario général à travers nos souvenirs d'enfance, par exemple ? C'est là que les ambiguïtés surgissent et qu'une dérive inégalement visible peut créer un malaise. Cette dérive est d'autant plus forte que les standards conversationnels ou communicationnels, pour reprendre l'expression des linguistes, nous sont le plus familiers. Un dialogue second et parfois tiers s'imprime alors sur le "premier dialogue", créant un effet de palimpseste.

Par exemple *Le ventriloque* commence par un échange attendu, puis soudain Poupée déclare : "J'aime tenir dans la main quelque chose de lourd et de brillant" (*V*, 5), référant à un stylo Parker plaqué or. Plus tard, le jeune homme de la fiction écrite par Gaby s'appellera effectivement Parker.

Plus tard encore, Balzac ne parle pas comme on pourrait s'y attendre (la parole d'un écrivain du XIXe siècle ?), ou plutôt il quitte soudainement les rails convenus et change brutalement de registre:

> **Balzac** : Oh qu'as-tu fait ? Tu mérites un châtiment exemplaire.
>
> **Gaby** : Balzac !
>
> **Balzac** : Tu sais ce que tu es ? Une guenon infectée ! Une salope ! Une poupée trouée ! Une branleuse ! Une avaleuse ! Une chieuse ! Oh qu'as-tu fait […] (*V*, 39)

La "figure" et les contes

Les textes de Larry Tremblay reposent la question qui me semble fondamentale à propos du personnage de théâtre : qu'avons-nous envie de voir sur scène, que voyons-nous effectivement, que méritons-nous de voir ? Les réponses dramaturgiques sont sans doute multiples. Des monstres, des créatures qui empruntent à l'arsenal de la monstruosité, mais aussi, ajouterai-je, des monstres intimes qui réendossent en quelque sorte la panoplie du monstre pour atteindre une sorte de vérité, la leur, et celle de Tremblay, et peut-être la nôtre. Il semble à peu près impossible que le dramaturge parte d'une identité sociale ordinaire. Les plus "réalistes" de ses personnages, en apparence, comme *Le génie de la rue Drolet*[9], endossent immédiatement une construction monstrueuse. L'artiste qui entasse des sculptures en os de poulet dans son salon, jusqu'à en effrayer ses proches, n'est pas tout à fait un artiste ordinaire. L'Ogre dans la pièce *Ogre* n'est pas non plus un père ordinaire, même si toutes les paroles qu'il prononce, les actes qu'il prémédite, nous les recevons à la lumière de l'onomastique.

Tremblay a besoin du détour, dans l'écriture même du personnage, pour que celui-ci puisse exister. Et celui-ci doit donc être *incrédible*, improbable, relever de la féerie, de la magie, du cauchemar intime ou télévisuel, peu importe, mais il doit bénéficier d'un référent double ou multiple pour advenir sur une scène de théâtre. De tels choix dramaturgiques sont relativement rares. Je ferai cependant ici deux liens avec des tendances des écritures d'aujourd'hui, en sachant qu'il en existe bien d'autres.

On trouve un certain nombre d'auteurs contemporains qui créent des "personnages de personnages", puisant à l'imaginaire des contes traditionnels : Blanche-Neige chez Howard Barker, Barbe-Bleue chez Dea Loher ou Nicolas Fretel, le Petit Chaperon rouge chez Joël Pommerat, par exemple. Les héros de contes de fées nous servent désormais de modèles d'appréhension et de compréhension de l'humain, comme ont pu le faire ces héros de contes antiques qu'étaient Oedipe ou Médée. Et de la même manière que la tragédie grecque s'est en partie inventée dans la transcription de mythes de tradition orale, des auteurs se tournent aujourd'hui vers cette source de récits populaires historiquement plus proches de nous : le monde des contes de fées.

En choisissant de n'édulcorer ni la noirceur ni la violence propres aux contes, le théâtre semble y puiser de nouvelles créatures mythologiques. Les histoires plus ou moins monstrueuses rapportées par les contes de fées – ressentiments, abus, violences et autres cauchemars des relations humaines – permettent aux auteurs de poser les immémoriales questions de la douleur, de l'injustice, du sort, sur le mode de fables non réalistes à l'instar des mythes antiques, mais avec des personnages moins chargés d'histoire et de connotations que leurs illustres aïeux. Les héros des contes n'ont aucune accointance avec le monde des dieux et ce sont toujours des considérations prosaïques qui déclenchent leurs tragédies (problèmes de pauvreté, difficultés propres aux familles recomposées...). Sur scène apparaissent donc des créatures surnaturelles, merveilleuses, monstrueuses, mais portées par un imaginaire fantastique et fantasmatique plus en phase avec le champ contemporain de nos représentations, et qui, peut-être parce qu'elles renvoient à nos terreurs enfantines, autorisent l'expression de peurs archaïques – sur un mode qui n'est pas celui dicté par le ton sécuritaire des médias. Chez Tremblay cependant, mais aussi chez Joël Pommerat, on constate une forte inscription de ces créatures simultanément dans la réalité.

D'autre part, au cours des dernières années, un mot s'est imposé, plus ou moins instinctivement, dans les discours entourant et commentant les écritures théâtrales : celui de "figure". Il s'agit plutôt d'une notion liée aux dramaturgies contemporaines, mais qui renvoie bien à un état "critique" du personnage.

Comprendre ce que "figure" veut dire, c'est donc s'interroger sur la substitution d'instance et l'ordre de représentation alternatif que cherche à définir, en creux, l'apparition de ce terme-là, et voir en quoi il est effectivement mieux à même de nommer ce qu'on pressent dans les écritures comme de nouvelles formes de personnage. L'intérêt de ce terme est de se trouver au croisement de deux grands champs sémantiques. D'une part, celui du visible : figure désigne une "forme envisagée de l'extérieur" – ce qui, au théâtre, invite à opérer un déplacement important : la figure pose la question du personnage comme forme d'apparition avant de le considérer comme une entité substantielle, elle en fait un enjeu de figuration plutôt qu'un objet herméneutique. D'autre part : celui de la technique, au sens très général de conventions ou de codes d'écriture. On parle de figures en rhétorique, mais aussi en géométrie, en danse, et, plus globalement, dans tout ce qui a trait à l'acrobatie (cirque, gymnastique, sports de glisse). Parler en ce sens de "figure", c'est toujours pointer la question du corps (et/ou du langage) mis en jeu dans un espace et selon un protocole donnés. Dans cette perspective, on peut poser l'hypothèse que les figures théâtrales sont intrinsèquement liées à un univers d'écriture, qui impose ses propres règles de jeu et de représentation. Ce qui est bien le cas chez Tremblay.

Dans cette perspective toujours, on peut dire aussi qu'en s'employant à défaire l'intégrité illusoire du personnage traditionnel, en la mettant en crise, Tremblay dé-personnifie l'être dramatique, mais aussi, redonne à l'incarnation théâtrale toute sa puissance imaginaire, ce qui, dans le contexte dramaturgique anglo-saxon, est particulièrement risqué. Affichant la convention sans forcément refuser la fiction, oscillant constamment entre effet de réalité, poétisation marquée et surexposition de la théâtralité, Tremblay joue avec la notion de personnage. Il en explore les limites, les mine, les brouille, les décompose et recompose cependant un autre protocole spectaculaire. Il en modifie l'équilibre, et ce faisant, informe des présences, des modes, des régimes dialectiques du personnage – qu'on appellera figures. Définies non plus sur le mode de la référence et du vraisemblable, mais sur celui du jeu, les figures en ont le caractère douteux, indécidable, et leur trouble est celui que procure une force de conviction, l'image, n'advenant pourtant que sur fond de convention avouée, librement consentie, et dans la parole.

Avouées comme créatures scéniques et poétiques, les figures libèrent l'incarnation théâtrale de ses seuls effets de personnification, pour donner lieu à un espace d'incarnation *relatif* : dont le sens et les effets ne s'imposent pas au spectateur, mais n'adviennent et ne se négocient que dans l'écart creusé et maintenu de l'imaginaire à l'image, de la parole au visible, du représenté à son représentant.

Notes :

1- Jean-Pierre Ryngaert et Julie Sermon, *Le personnage théâtral contemporain : décomposition, recomposition*, Paris, Théâtrales, 2006.

2- Larry Tremblay, *Le ventriloque*, Carnières-Morlanwelz, Lansman éditeur, 2001. Dorénavant désigné à l'aide du sigle (*V*), suivi du numéro de la page.

3- Larry Tremblay, *Les mains bleues*, Cernières-Morlanwelz, Lansman éditeur, 1998. Dorénavant désigné à l'aide du sigle (*MB*) suivi du numéro de la page.

4- Larry Tremblay, *Ogre*, Carnières-Morlanwelz, Lansman éditeur, 1997.

5- Larry Tremblay, *Téléroman*, Carnières-Morlanwelz, Lansman éditeur, 1999. Dorénavant désigné à l'aide du sigle (*T*), suivi du numéro de la page.

6- La didascalie indique: "Ils continuent d'imiter Guillaume et François, avec encore plus de passion". (*T*, 28)

7- Dans le cas des écritures théâtrales, la question onomastique se pose avec d'autant plus d'acuité que le nom, pour le lecteur, s'offre toujours comme le premier point d'ancrage concret, si ce n'est le seul fondement possible à sa constitution imaginaire d'effets-personnages.

8- Lors d'un échange qui a suivi, Tremblay a parlé de "puces" identitaires qui sautaient facilement de personnage à personnage.

9- Larry Tremblay, *Le génie de la rue Drolet*, Carnières-Morlanwelz, Lansman éditeur, 1997.

Le ventriloque de Larry Tremblay
Mise en scène de Gabriel Garran
Une production du Théâtre international de Langue française (TILF), 2001
Sur la photo : Valérie Decobert et Hassane Kouyaté

Photographe : Patrice Praxo ©

Le corps et la voix.
Figures de l'autorité créatrice[1]

Lucie ROBERT

Affirmer, au point de départ, que le statut du personnage pose problème dans la dramaturgie de Larry Tremblay est en passe de devenir un lieu commun. Toutefois, comme tous les lieux communs, celui-ci n'est pas sans découvrir une certaine vérité, car l'analyse, sous quelque angle qu'on l'envisage, découvre là des entités instables, dont la nature est foncièrement ambivalente. Déjà, dans sa présentation[2], Gilbert David évoquait quelques-uns des traits particuliers du personnage de Tremblay : compulsion à multiplier les jeux de rôles, mutations et permutations du "corps parlant", prolifération de doubles et duplicités. De son point de vue, le personnage deviendrait ainsi le simulacre d'un *sujet* qui, par là, s'effondre de lui-même. En effet, à la lecture comme à la représentation, on ne peut que noter cette curieuse écriture, où le sujet toujours se dissout dans la parole de l'Autre, dans un corps qui n'est pas le sien, dans une voix désincarnée. Ce sont là les symptômes d'une autorité problématique, qui s'inscrit en faux contre la doxa ambiante et résiste à toutes les formes de normes imposées, mais qui ne parvient jamais qu'à les déconstruire, se montrant impuissante à proposer une solution de remplacement viable (laquelle, d'ailleurs, ne pourrait être qu'une nouvelle doxa). Aussi l'analyse ne peut-elle que suivre l'auteur dans cette exploration de la doxa à travers son déconstruit. Suivre l'auteur ? La chose n'est peut-être pas aussi simple qu'elle paraît à première vue. S'il est simple d'identifier une signature, ne serait-ce que par le nom qui apparaît sur l'affiche ou en page couverture, encore faut-il pouvoir localiser le lieu de sa parole et identifier la nature de ses propositions. Or, une des conséquences qu'entraîne la construction particulière du personnage dans la dramaturgie de Larry Tremblay est précisément de rendre problématique la figure de l'auteur, tout aussi disloquée, démembrée et instable que lui. Car, à travers cette fragmentation constante, et par elle précisément, le personnage adopte diverses postures qui, toutes, illustrent un aspect ou l'autre du travail de l'artiste, sans jamais proposer une figure unifiée, mais qui, toutes, laissent en suspens, la question première : *qui* détient l'autorité ?

S'agissant de théâtre, la question n'est pas sans conséquence, et la réponse n'est pas simple : entre l'acteur, le metteur en scène et l'auteur, l'autorité est continuellement discutée. La structure du travail théâtral tend à faire porter cette autorité par le metteur en scène, mais son travail n'est pas le seul qui soit significant. Car de quoi fera-t-il la mise en scène, s'il n'y a pas eu un travail dramaturgique préalable ? De même, la mise en scène peut-elle prendre forme sans le travail de l'acteur, qui prête voix et corps, devenant autre, ne serait-ce que provisoirement, pour faire vivre cet art ? Une autorité éclatée paraît bien être caractéristique de l'acte créateur au théâtre et devrait-on s'étonner alors du fait que la figure de l'artiste et la "scénarisation de l'acte créateur" (pour reprendre l'expression forgée par Yves Jubinville[3]) s'inscrivent, chez Larry Tremblay, dans des figures tout aussi éclatées, où le corps est parfois un vide, parfois un plein, toujours un peu démembré (n'existant que par morceaux : un ventre, une tête, des mains, un cœur), parfois réifié (une poupée, une marionnette), où la voix porte bien la parole, mais ne la construit pas toujours, où le sujet hésite à se reconnaître lui-même ?

Ainsi, dans *Le ventriloque*, où la poupée nommée Gaby raconte les événements qui entourent son seizième anniversaire de naissance, doit-on d'abord comprendre que, si la parole vient de Gaby (en tant que personnage), la voix ne peut être que celle qui émerge du ventre du manipulateur. En même temps, Gaby étant une poupée sans âme ni cerveau, elle ne peut avoir conçu la fiction qu'elle raconte. En ce sens, la relation entre le ventriloque et sa poupée est de même nature que celle qui unit l'auteur et son personnage, chacun disposant d'une sorte d'autonomie, mais jamais d'une totale indépendance. Pourtant, la pièce n'est pas si claire, car Gaby est aussi un personnage d'écrivain. N'a-t-elle pas écrit "le plus beau roman du monde"[4], dont même Balzac se montre jaloux ? La fin de la pièce déploie également une série de renversements : après ce qui paraît bien être l'union fusionnelle du ventriloque et de sa poupée (en même temps que celle des deux personnages qu'ils représentent, le docteur Limestone et Gaby), apparaissent un second ventriloque, désormais nommé Parker (du nom du stylo de Gaby), et une nouvelle poupée, qui entreprend de raconter l'histoire de son vingt-septième anniversaire de naissance. La pièce s'arrête là, mais l'histoire est sans fin puisque, visiblement, le processus est destiné à se répéter éternellement.

Ces mises en abîme, jeux de miroirs et constructions spéculaires sont des modalités qui engagent toutes une réflexion sur l'identité, où la réflexion *du* même devient une réflexion *sur le* même : "Voici un auteur qui parle pour faire parler, écrire, agir un autre auteur"[5], écrivait André Belleau. Aussi *Le ventriloque* est-elle d'abord une pièce sur le théâtre, sur l'auteur et l'écriture, mais aussi sur l'acteur et sur la relation entre les deux. Si ma mémoire est bonne, dans *De l'inutilité du théâtre au théâtre*, Alfred Jarry classait l'acteur parmi les objets inutiles au théâtre, le remplaçant volontiers par la marionnette ou la poupée, peut-être avant tout pour mettre en valeur la nécessité d'un corps dégagé de son identité et de son histoire propres, désormais disponible à faire sienne l'identité d'autrui, d'un corps réduit à n'être que l'espace physique par lequel transite la voix ou plutôt la parole de l'auteur. Ils ont été plusieurs aussi, parmi les auteurs dramatiques, à revendiquer leur statut de créateur en conjuguant cette thèse de diverses manières, depuis Luigi Pirandello (*Six personnages en quête d'auteur*) jusqu'à Georges Perec (*La poche Parmentier*). Telle n'est pas cependant exactement la position de Larry Tremblay, pour qui "le corps du personnage est l'âme de l'acteur"[6], le lieu où se réalise la fusion entre le corps et l'âme, la condition même du théâtre. Il ne saurait être conçu comme une structure vide.

Or, "rien n'est moins sûr que le corps"[7], écrivait Larry Tremblay, il y a quelques années, précisant que "[l]'acteur, le temps qu'il est occupé à chercher son personnage, trouve une chose étonnante : un corps pluriel"[8]. Disloqué, démembré, ce corps serait constitué de plusieurs zones qui peuvent être diversement occupées par plusieurs sujets à la fois : "La singularité du je, qui donne son sens général à l'individu, s'annule momentanément par la dislocation du jeu, fait place à une multiplicité du corps."[9] On se rappellera ainsi que *Le ventriloque* offre la particularité de mettre en scène un seul acteur. La didascalie initiale le dit assez clairement : "Un seul acteur joue les rôles du Ventriloque et du Docteur Limestone."[10] En face de lui, Gaby est une poupée. Des autres personnages, "on n'entend que la voix."[11] Force est alors de constater que dans cette pièce, le corps d'un seul acteur est l'âme de plusieurs personnages et que, à l'inverse, plusieurs personnages restent sans âme. "Le corps, en fait, est un montage."[12]

Le ventriloque apparaît dès lors comme une machine ou comme une mécanique voire comme un jeu de mécano bien huilé que l'on peut démonter *ad infinitum*, selon des angles d'attaque variés. On ne peut cependant réduire la pièce aux structures et aux jeux formels, car, quel que soit l'angle envisagé, surgit la nécessité de pousser sur le terrain philosophique la réflexion (sur la place du texte au théâtre, sur le geste de figuration, sur la relation entre le corps et l'âme), qui toujours nous ramène aux enjeux identitaires que laissent présager la présence d'un corps démembré (scindé dans le cas de la relation entre le ventriloque et sa poupée ; incomplet quand il est réduit à une voix hors-scène) et l'inadéquation du corps et du sujet (un sujet réparti sur plusieurs corps ; un corps porté par plusieurs sujets). L'œuvre engage donc des prolongements philosophiques, qui sont accompagnés d'une forte réflexion d'ordre éthique, certainement, mais il est difficile toutefois de parler de prolongements métaphysiques, tant ce théâtre est construit sur l'exploration des supports de la création, à commencer par ce corps, justement, figure exemplaire de l'acteur, mais aussi mode d'existence de la personne humaine au monde, puis la voix, support de la Parole et du Verbe. Si l'œuvre appelle par nécessité des prolongements philosophiques, ceux-ci doivent d'abord être appréhendés comme une vision particulière du théâtre, qui prolonge les réflexions déjà initiées par les auteurs symbolistes (de Villiers de l'Isle-Adam jusqu'à Maurice Maeterlinck) à la fin du XIXe siècle, et qui est visiblement bien informée des développements ultérieurs, menés tant par les metteurs en scène que les auteurs les plus novateurs qui tous, et chacun à sa manière, ont poursuivi la critique de la représentation naturaliste qui avait dominé et qui domine encore largement les scènes de théâtre.

Dans ce type de représentation, le personnage représenterait la forme que prend, sur la scène, la conjonction entre un rôle et un acteur. Dans la dramaturgie de Larry Tremblay, ces deux éléments s'organisent différemment : le personnage serait plutôt la conjonction d'un corps et d'une voix. Or, dans ce cas non plus, l'unité n'est pas réalisée entièrement. La voix n'est pas nécessairement celle de ce corps-ci, pas plus que ce corps-là est celui qui génère la voix que le spectateur entend. Quant à savoir lequel, de ce corps et de cette voix, est porteur du Verbe, la question reste posée sans trouver de réponse immédiatement satisfaisante. Il faut alors s'intéresser à la figure du sujet éclaté, qui apparaît comme le double du corps démembré. Cette proximité se déploie sur deux axes inversés : soit comme une mécanique de la fiction qui s'éloigne du réel ; soit comme la mécanique d'une réalité (qui n'existerait que par fragments), qui ne trouve son unité que dans la fiction voire dans le spectacle. En ce sens, le théâtre est un art de la performance, mais aussi un performatif, c'est-à-dire que c'est dans l'acte théâtral lui-même et dans l'acte théâtral seul que se trouve la possibilité de créer cette unité. Cela devrait nous entraîner vers une réflexion sur l'ensemble de l'axe de la création depuis son origine jusqu'à sa réception, donc jusqu'au spectateur et, par là, nous engager à repenser l'axe de la transmission.

La hache appelle précisément ce type de réflexion, sans doute par sa construction même, où les enjeux du corps (dans son existence empirique) ne sont pas aussi immédiatement soulevés. En effet, l'enchâssement (présent dans *Le ventriloque* sous la forme des boîtes gigognes qui cachent le cadeau d'anniversaire de Gaby et sous celle de la relation entre le ventriloque et sa poupée) n'est pas la structure privilégiée de *La hache*, dont le mode fictionnel est davantage celui de la narration. Il s'agit de ce que Marie-Christine Lesage appelle une "narration en solo"[13], suivant là les remarques de George Schlocker : "la scène n'est donc point le lieu qui déclenche une action, elle est plutôt le lieu privilégié de l'introspection d'un sujet qui ressasse les événements d'un passé demandant à se réincarner."[14] Il y a là une parole "obsessionnelle", comme la qualifie encore Schlocker, qui tend à se substituer à toute parole rationnelle. Ce n'est pas la première fois que Larry Tremblay recourt à cette forme, qui imprégnait déjà deux pièces antérieures : *Leçon d'anatomie* et *The Dragonfly of Chicoutimi*.

Ces trois narrations en solo ont la particularité de ne pas mettre en scène des personnages de créateurs. On n'y trouve ni écrivain, ni acteur, ni autres artistes. Deux des pièces mettent en scène des personnages de professeur, l'un de science (dans *Leçon d'anatomie*), l'autre de littérature (dans *La hache*). Ce qui caractérise la représentation littéraire du professeur est qu'elle construit généralement une figure de la doxa, quelque chose comme l'incarnation du poids institutionnel de la tradition et du savoir, et que, en cela, elle s'oppose à la figure de l'artiste, qu'on qualifiera, par antithèse, de "paradoxale"[15]. C'est ce professeur qui, dans ces textes, décroche de la parole rationnelle, dont il est historiquement le porteur symbolique, et qui lui substitue une parole obsessionnelle. Ainsi, dans *La hache*, le professeur de littérature débarque de manière impromptue chez son étudiant, à qui il vient remettre sa copie corrigée. Il est trois heures du matin et il pleut. Derrière lui, à l'entendre, il n'a laissé que des ruines : "J'ai bu un bon coup avant de venir chez toi. J'ai mis le feu et je me suis enfui avec ma serviette de prof."[16] Le fait que la réincarnation des événements du passé emprunte ici aux actualités la métaphore de la vache folle et que ce soit le professeur, normalement une figure de la rationalité, qui développe cette parole obsessionnelle, suggère l'existence de failles dans la construction du sujet, dans l'identité du personnage et dans sa fonction symbolique, voire dans la construction même du récit. Et failles on observe, en effet, en abondance.

Là où *Le ventriloque* mettait en scène un corps démembré, qui empêche le personnage (et donc le sujet) de s'incarner dans son unité, *La hache* présente ainsi une image inversée du même rapport : le personnage y est mis en scène dans un corps unique et complet, et c'est le sujet lui-même qui paraît démembré au point de mettre en péril l'intégrité du corps. Car s'il est un fait largement attesté à propos de *La hache*, c'est bien que le sujet y est en crise. Parole inquiète et disloquée, expression du doute et de la quête, éparpillement intérieur, dissolution du moi caractérisent une énonciation qui finit par construire un syllogisme aberrant : "Je suis une vache malade, contaminée, impure, dangereuse"[17] et je dois donc être exterminé comme elle. Surgit cette figure du sujet en quête d'une unité qui ne peut se réaliser que dans la mort (qu'appelle le syllogisme qu'on a dit) ou, peut-être, dans la fiction (que réalise le texte dans sa finitude même).

Paradoxalement, la figure du professeur fou, telle que la présente *La hache*, conduit à faire de l'étudiant une figure fantasmée de l'artiste. "Paradoxalement", disons-nous, car dans la littérature occidentale, le savant et le professeur fous sont eux-mêmes, à la manière du professeur Tournesol ou du docteur Frankenstein, des figures de créateurs, en rupture avec la doxa ambiante. Ce n'est pas le cas ici car, si le professeur a perdu la raison, il ne parvient pas à l'étape de la création, fût-elle monstrueuse. Il prétend même avoir brûlé un manuscrit. Toutefois, dans ce texte, Larry Tremblay ne fait pas de l'étudiant un personnage[18]. Celui-ci n'existe que dans le discours du professeur, dont il apparaît comme le double négatif. Ainsi, à la logorrhée verbale qui afflige le professeur s'oppose le silence de l'étudiant. "C'est ta façon à toi de parler : ton silence."[19] Le silence serait ainsi l'absolu de la littérature plutôt que son degré zéro. De sorte que, si l'étudiant devient une figure fantasmée de l'artiste, ce ne peut être qu'aux yeux du professeur fou, puisque l'œuvre n'advient pas non plus dans son cas. Quant à la valeur symbolique de la hache elle-même, on en fera ce qu'on voudra, une image voire un symbole, mais pas une œuvre.

Car le Verbe est au cœur de la dramaturgie de Larry Tremblay. Bien sûr, me dira-t-on, chaque auteur dramatique tend à mettre sa propre parole et son propre discours au centre de l'acte créateur. Au théâtre, cependant, cette volonté doit prendre en charge la forme même que suppose l'acte théâtral, laquelle refuse de faire porter par un personnage unique la parole de l'auteur. Maeterlinck, déjà, parlait de l'existence d'un troisième personnage au théâtre, d'un personnage qui, au-delà des deux autres (celui qui parle et celui qui écoute puis qui répond...parfois), porterait le Verbe. Or, ce troisième personnage ne s'incarne ni dans *un* corps ni dans *une* voix. Il est celui qui se perçoit dans la construction rythmique et rhétorique du dialogue, dans l'imaginaire que la pièce donne à voir, toujours de manière allusive, pour qui sait voir, entendre et même lire au-delà des dialogues apparents : "L'artiste a certains caprices, certaines préférences, certaines manies de mots qui constituent l'*interne* de sa matière *externe*."[20] C'est ce troisième personnage qui dévoile l'existence du Verbe, en même temps que celle d'une écriture, où résiderait l'autorité de l'acte créateur. Aussi aurions-nous tort, du moins à première vue, de confondre cette exploration du sujet du verbe *créer* avec une vision du monde qui transférerait à l'individu réel les caractères spécifiques de ce sujet démembré qu'est le créateur dans l'œuvre de Larry Tremblay.

Larry Tremblay lui-même définit son travail d'écriture comme une "orchestration" et il prétend "travailler à l'oreille."[21] Or, l'orchestration n'est pas la musique, ni en termes de mélodie, ni en termes d'harmonie ; elle désigne la répartition des sons sur les divers instruments qui composent l'orchestre ; elle suppose l'existence préalable de ces sons, ainsi venus d'ailleurs. En cela, elle est d'abord transposition et organisation. L'auteur serait donc celui qui *entend* les mots qu'il *orchestre* en Verbe. Ici, il faut revenir à *La hache* car, si le professeur se conçoit désormais comme une vache folle, c'est bien qu'il a *entendu* ou *lu* ce qui en a été dit. Il devient alors lui-même un carrefour de paroles (des paroles d'autrui), bien qu'il se montre incapable de les trier correctement. Il opère de la même manière à partir du travail de l'étudiant, à qui il prête des intentions esthétiques loin d'être aussi nettes qu'il le prétend. Mais il ne peut avoir *entendu* ou *lu* la hache, qui n'existe pas par les seuls mots. Dans l'esprit du professeur, il y a confusion entre ce qui se voit (l'objet) et ce qui s'entend ou se lit (le Verbe). Une confusion semblable, mais située sur un autre plan, opère aussi dans *Le ventriloque*, quand Gaby comprend que ce qu'elle écrit advient. Il lui suffira donc d'écrire qu'elle écrit "le plus beau roman du monde" pour que celui-ci se matérialise. Toutefois, si Gaby apparaît ainsi comme une romancière fictive, dont l'œuvre posséderait le pouvoir de transformer la réalité, force est de constater que la source du travail créateur réside ici, d'abord et avant tout dans le stylo (Parker), doté d'une existence, peut-être même d'une âme, qui lui permet de s'incarner à la toute fin de la pièce dans le nouveau manipulateur de poupée.

Si l'écrivain entend ce qui lui parvient et qui a donc été dit ailleurs, auparavant, qui est l'auteur ? Où se trouve l'énonciation originelle ? L'écrivain, en tant qu'orchestrateur, est celui qui met en forme le texte dramaturgique, qui lui donne un sens, le distribue en divers rôles, confiés à des voix et à des corps bien choisis. "Distribuer, c'est crucial. C'est là que se pose le problème des corps. Quels corps vont porter le texte ?"[22], demandait encore Larry Tremblay. Toutefois, il ne paraît pas être celui qui imagine ou qui crée. Le processus de création paraît se lover sur lui-même, comme une boucle fermée, sans que jamais ne soit rendue sensible l'origine de la création, ni en ce qu'il est convenu de nommer *l'inspiration* ni en ce qui crée l'œuvre comme objet autonome, c'est-à-dire l'*autorité*. Comme si le Verbe, s'étant fait chair, perdait toute origine. C'est ainsi, je crois, qu'il faut entendre l'assertion déjà citée : "le corps du personnage est l'âme de l'acteur", qui semble confirmer le caractère absolu de cette impasse. Une première figure permet d'illustrer un tel retournement : le ruban de Mœbius, qui, tout en inversant la trajectoire, la prolonge néanmoins, paradoxalement, à l'infini. Une autre figure serait évidemment celle de la Trinité, où le Verbe est porté par trois personnes : le Père, le Fils et l'Esprit. Le Fils incarne là le Verbe qui, par lui, vient "habiter parmi nous", mais il n'est pas la source du Verbe. Comme le ruban de Mœbius, la Trinité est un mystère, c'est-à-dire une figure qui ne se réduit à aucune explication. Telle pourrait être la réponse offerte par Larry Tremblay à la question à l'origine du présent texte.

On notera par ailleurs la convergence entre la dramaturgie de Larry Tremblay et celle de quelques auteurs dramatiques contemporains, notamment Carole Fréchette et Wajdi Mouawad. Ces convergences sont thématiques d'abord et elles se manifestent dans la question du corps, de la transmission, de l'identité, de la quête du sens. Si, parfois, celles-ci peuvent être vues comme des problématiques du temps présent, elles renvoient aussi peut-être à une manière de penser le théâtre, en particulier la place de l'auteur, le sens de l'écriture dramatique. Toutefois, c'est dans la manière de poser la question de la création, notamment dans l'ostentation du corps, que cette convergence est la plus intéressante, car chez Fréchette et Mouawad aussi, le Verbe se fait chair, bien que d'une autre manière. On se souviendra ainsi de *La peau d'Élisa*, où raconter empêche la peau du personnage éponyme de s'étendre, ou de *Forêts*, où les paroles sont tatouées sur le corps des personnages. C'est sans doute que Carole Fréchette, Wajdi Mouawad et Larry Tremblay ont aussi en commun d'avoir été à la fois acteurs et auteurs (voire metteurs en scène), bien que selon des modalités différentes, et peut-être faut-il voir aussi dans la réflexion sur le corps (y compris sur la voix) et la parole (y compris sur l'acte de transmission) une manière de réconcilier ces deux pratiques fondatrices du théâtre. En ce sens, l'écriture aurait ici une fonction réparatrice, visant à concilier, voire à *ré*concilier ce que la division du travail théâtral paraît s'obstiner à séparer et à opposer. Il n'en demeure pas moins que, dans ces œuvres théâtrales, se déploient une figure de l'artiste et une réflexion sur la création qui ne manquent pas d'intérêt. Elles désignent l'auteur comme un conteur ou comme un rhapsode – avant tout comme l'orchestrateur, précisément, de textes préexistants, mais dont la source, qui nous renvoie à des temps immémoriaux, est parfois perdue – et l'acteur comme un corps vide que remplit le premier, non de son rôle, mais de son âme. Ainsi le Verbe se fait Chair, et vient-il habiter parmi nous.

Notes :

1- Le présent texte a d'abord été conçu comme une synthèse de l'Atelier sur le théâtre de Larry Tremblay, tenu à l'Espace GO, le 30 mars 2007. Au fil de l'écriture, il a toutefois acquis une autonomie qui n'est pas sans conséquences. D'une part, il ne rend plus compte de l'ensemble des discussions qui ont eu lieu au cours de cet atelier et l'omission de certains points de vue ne peut en aucun cas être vue comme un jugement sur leur pertinence. D'autre part, s'il reste encore largement tributaire des propos énoncés par les participants à cet atelier, il leur fait désormais violence en les insérant dans un propos qui n'est plus le leur.

2- Yves Jubinville, "La stratégie du miroir. Rites génétiques" dans *Le ventriloque* et *Abraham Lincoln va au théâtre*, voir *supra*.

3- *Idem.*

4- Larry Tremblay, *Le ventriloque*, Carnières-Morlanwelz, Lansman Éditeur, coll. "Noctures Théâtre", 2001, p. 28.

5- André Belleau, *Le romancier fictif. Essai sur la représentation de l'écrivain dans le roman québécois*, Québec, Presses de l'Université du Québec, 1980, p. 23.

6- La phrase a été prononcée par Larry Tremblay, lors de la table ronde des metteurs en scène, voir *supra*.

7- Larry Tremblay, "La peau, la chair et les os", *L'Annuaire théâtral*, n° 12, Montréal, SQET, 4e trimestre 1992, p. 103.

8- *Ibid.*, p. 99.

9- *Id.*

10- Larry Tremblay, *Le ventriloque*, *op. cit.*, p. 4.

11- *Ibid.*

12- Larry Tremblay, "La peau, la chair et les os", *loc. cit.*, p. 103.

13- Adeline Gendron et Marie-Christine Lesage, "Récit de vie et soliloque dans *Leçon d'anatomie* et *The Dragonfly of Chicoutimi* de Larry Tremblay", dans Chantal Hébert et Irène Perelli-Contos (dir.), *Le théâtre et ses nouvelles dynamiques narratives*, Québec, Presses de l'Université Laval, 2004, p. 173.

14- George Schlocker, "La parole affolée. La propension au monologue du théâtre français contemporain", *Cahiers de théâtre Jeu*, n° 72, Montréal, 1994, p. 104.

15- À ma connaissance, aucun texte de Larry Tremblay n'exploite ces deux figures, celle de l'artiste et celle du professeur, dans leur relation conflictuelle. Ils sont pourtant nombreux les professeurs écrivains, de Gérard Bessette à Francine Noël, à les avoir combinées de toutes les manières possibles. De ce point de vue, il y a chez Larry Tremblay, une division symbolique des fonctions (on note ainsi la présence de deux séries de pièces, aux formes et aux thèmes distincts), mais pas de conflit.

16- Larry Tremblay, *La hache*, dans *Piercing* [et autres récits], Paris, Gallimard, 2006, p. 29.

17- Larry Tremblay, *La hache*, *op. cit.*, p. 63.

18- À la création de la pièce, en avril 2006 au Théâtre de Quat'Sous, l'auteur et metteur en scène avait distribué le rôle de l'étudiant à un deuxième acteur. Celui-ci était forcément muet, mais son existence, sa gestuelle et son attitude générale n'en dégageaient pas moins un discours. La présence-absence de ce deuxième acteur oblige le spectateur à assumer le rôle de l'interlocuteur, au moins indirectement, et à recevoir le discours du professeur sans médiation.

19- Larry Tremblay, *La hache*, *op. cit.*, p. 55.

20- Maurice Maeterlinck, cité par Gérard Dessons, *Maeterlinck. Le théâtre du poème*, Paris, Éditions Laurence Teper, 2005, p. 106 [Les italiques sont de l'auteur]. Larry Tremblay l'exprime ainsi : "C'est pour cela qu'il n'y a ni virgules ni points dans mes textes. La ponctuation mène l'acteur à un processus logique plutôt qu'organique. [...] Je n'écris plus de didascalies non plus.", Gilbert Turp, "Écrire pour le corps [Entretien avec Serge Boucher, Élizabeth Bourget, Carole Fréchette, Wajdi Mouawad et Larry Tremblay]", *L'Annuaire théâtral*, n° 21, SQET-CRELIQ, 2e trimestre 1997, p. 169.

21- L'expression a été utilisée par Larry Tremblay au cours de l'Atelier déjà mentionné, mais il avait développé auparavant une idée semblable : "Puisque je dirige les acteurs dans mes propres textes, je travaille surtout avec mon oreille. C'est toujours mon oreille qui m'indique si c'est juste. On dirait que ça fait ding !", Gilbert Turp, "Écrire pour le corps [Entretien avec Serge Boucher, Élizabeth Bourget, Carole Fréchette, Wajdi Mouawad et Larry Tremblay]", *loc. cit.*

22- Ibid., p. 167.

Abraham Lincoln va au théâtre de Larry Tremblay
Mise en scène de Claude Poissant
Une production du Théâtre PàP, Montréal, 2008
Sur la photo : Maxim Gaudette, Patrice Dubois et (au centre) Benoît Gouin

Photographe : Suzane O'Neill ©

Larry Tremblay
par lui-même

suivi des publications de Larry Tremblay
et d'une théâtrographie

Écrire du théâtre avec de la matière

Larry TREMBLAY

1) Ego

Un livre, lu avant ma vingtaine, m'a fasciné : *La transcendance de l'ego*[1]. Sartre y démontre, avec le brio d'un pédagogue hors pair, que l'ego est un objet. Mieux encore : il ne loge pas dans l'homme. Ce n'est pas un objet contenu dans l'un de ses nombreux et surprenants tiroirs. L'ego est transcendant. En tant qu'objet visé par la conscience, il apparaît devant elle. Il n'est donc pas en elle, ne la précède pas. Après avoir digéré ces assertions, j'étais plutôt rassuré et plutôt d'accord. Oui, mon ego n'est qu'un objet que je peux faire apparaître ou disparaître au gré de ma volonté. L'ego est un personnage. L'ego est plus théâtral qu'on ne le pense. L'ego, à la limite, est interchangeable. Avec un peu de détermination, je pourrais changer le mien, m'amuser à le modifier, à le nier.

Cette conception du rapport à soi-même installe d'emblée un écart entre corps, ego et conscience. Ces trois entités ne sont pas, à l'origine, fusionnées. Il existe entre elles de l'espace. Autrement dit, du jeu. Toutefois, même si l'ego n'est qu'un objet, il prend subrepticement des allures de sujet et réussit à centraliser pensées, sensations, affects, comportements, manières de dire, d'écrire, de manger, de se vêtir, de communiquer, de faire l'amour. On devient une personne. Cette personne possède une personnalité. Cette personnalité n'est pas en reste et possède une multitude d'autres objets : habitudes, meubles, opinions, drames, maladies, comptes en banque, mesquineries, idées de vengeance, mansuétude, désirs enflammés, amour de l'humanité, projets d'avenir, goût pour la mélancolie et bien d'autres appendices. L'ego n'est plus qu'un vaste entrepôt qu'on a bien de la peine à fermer quand on s'approche du lit, le corps déclarant faillite et la conscience vacillant comme une ampoule mal alimentée. L'ego phagocyte son propriétaire, c'est dommage et c'est connu.

2) Jouer l'autre, déjouer l'ego

Tuable : c'est le mot. Le théâtre l'est-il (si "assassinable" existait dans la langue française, peut-être aurait-il été plus juste) ? On a beau s'alarmer sur l'influence grandissante de la télé, du cinéma, des jeux vidéo, des prouesses infatigables de la technologie, le théâtre prend note, assimile, avale, recrache et demeure. Il y a assurément plusieurs facteurs qui contribuent à cette nécessité du théâtre, à l'opiniâtreté de ce jeu qui, une fois réduit à sa plus simple expression, réunit un acteur et un spectateur dans un espace vide créé par l'éviction du réel.

J'aimerais toutefois en épingler ici un seul : le plaisir de mettre entre parenthèses l'ego. Il faut d'abord parler du plaisir. Si le théâtre a la vie dure, c'est qu'il est avant tout fondé sur le plaisir. Plaisirs sensuels, cognitifs, historiques, cathartiques, plaisir de la reconnaissance, de la répétition, de la nouveauté, du même et de ses travestissements. Mais il y a un plaisir qui passe plus souvent qu'autrement inaperçu, que j'appellerais, de façon sans doute maladroite, "plaisir de cesser d'être ce que je suis pour commencer d'être ce que je ne suis pas" ou encore, si on met le projecteur du côté du spectateur, "plaisir de me voir accepter que l'autre cesse d'être ce qu'il est pour commencer d'être ce qu'il n'est pas". Pourrais-je, pour faire court, nommer cela "plaisir de la pause" ? La pause de l'ego. C'est en devenant acteur que je me suis aperçu de son existence. Je m'étais questionné sur l'origine du plaisir que je ressentais quand je me retrouvais sur une scène dans la "peau" d'un personnage. Au sein de ce plaisir, je reconnaissais de la peur, de l'excitation, du défi mais surtout, et de façon paradoxale, beaucoup de soulagement. Très vite je me suis aperçu que "jouer un personnage", c'était aussi "me jouer de moi". Ou encore : "déjouer l'ego". Mon plaisir se nourrissait de la mise entre parenthèses de cet objet transcendant, si sartrien. Je me défaisais des ritournelles engendrées par l'aspect mécanique de tout ego. Je réduisais sa tendance hyperbolique, sa goinfrerie symbolique, sa danse centripète. Le plaisir augmentait au fur et à mesure que je réussissais à agrandir l'écart entre ego, corps et conscience. Le plaisir, c'était finalement l'autre (à l'opposé de la fameuse phrase de Sartre : "L'enfer, c'est les autres").

3) Les mots du corps

Y a-t-il toujours un acteur derrière un auteur dramatique ? Est-ce que ça joue, ça fulmine, ça hurle, ça flamboie, ça s'époumone dans le corps de l'auteur dramatique, penché sur sa page ? Est-ce que son corps ne se déploie pas dans la démesure des paroles qui résonnent dans sa boîte crânienne ? Pour ma part, il y a bien un acteur, et même plusieurs, qui s'activent derrière l'auteur que je persiste à vouloir être. Qui a précédé qui dans cette histoire ? L'écrivain ? L'acteur ? Est-ce important de le savoir ? Je dirais que c'est assurément la fascination pour les mots qui a nourri les deux, a fait en sorte que les deux se sont arc-boutés entre eux de façon durable.

Je me suis confronté au dualisme corps/esprit dès ma première pièce de théâtre, écrite vers dix-huit ans. Elle est sortie de ma plume sans plan, sans arrière-plan non plus. *Le déclic du destin* est, au départ, un récit écrit dans un système de ponctuation et de respiration de la page tout à fait conventionnel : point, virgule, paragraphe. Ce n'est que lorsque j'ai détruit cette architecture que le texte, sous mes yeux, a "pris corps". Le fait de réécrire les phrases, sans ponctuation, de les empiler, démembrées, les unes sur les autres en fonction d'une respiration qui n'était plus celle de la logique causale, a fait remonter à la surface la théâtralité du récit, les hésitations du personnage, le bruit, si je puis dire, de ses organes. Le texte avait une bouche, une langue, des dents et, finalement, cherchait un acteur. Subitement existait une relation organique entre le contenu du récit et la forme dans laquelle il se livrait. Et pour cause : Léo, le seul personnage du *Déclic*, est un petit gratte-papier qui, un matin, perd une dent en mangeant nonchalamment un éclair au chocolat. Par la suite, il perd toutes les dents, la langue, un doigt et – il fallait s'y attendre – la tête. Se pose alors la question de l'ego : où donc se trouve-t-il ? Dans la tête sans corps ou dans le corps sans tête ? Car, une fois le corps de Léo démembré, le récit ne s'éteint pas pour autant. Il continue en boucle, reprend depuis le début l'histoire de cette perte sans jamais user le corps. Ce premier texte mettait en évidence, de façon cocasse, un brin kafkaïenne, l'écart, – le jeu – entre corps et identité, entre ego et conscience. Il me révélait l'importance de la fragmentation mais surtout donnait aux mots une forme d'autonomie. Les mots venaient du corps, s'en nourrissaient et, bien gavés, s'en détachaient et se mettaient à faire leur théâtre. Le personnage naissait de sa parole. Et cette parole était avant tout organique. Avant d'être forme, elle était matière.

4) Le rêve de la matière

Matière ! De la terre, du feu, de l'eau, de l'air. Voilà de quoi se nourrit l'imagination. La matière rêve en nous. Gaston Bachelard l'affirme. Il propose, pour aborder la poésie, pour l'ouvrir en son milieu et lui voler quelques secrets, le concept d'imagination matérielle. Existent en l'homme des forces imageantes qui sont dépendantes des quatre éléments matériels fondamentaux. Bachelard écrit dans *L'eau et les rêves* : "La matière se laisse d'ailleurs valoriser en deux sens : dans le sens de l'approfondissement et dans le sens de l'essor. Dans le sens de l'approfondissement, elle apparaît comme insondable, comme mystère. Dans le sens de l'essor, elle apparaît comme une force inépuisable, comme un miracle. Dans les deux cas, la méditation d'une matière éduque une *imagination ouverte*."[2]

Approfondissement et essor. Les deux extrémités de la colonne vertébrale. Sacrum et crâne. Écrire : creuser, laisser gicler. Trouver le filon. J'oserais écrire que je fais du théâtre avec de la matière organique. Avec du corps. Pas un corps fixe, donné une fois pour toutes. L'imagination est définie, de façon consensuelle, comme étant la faculté de former des images. Bachelard nous apprend qu'elle est plutôt la faculté de déformer les images.

Déformer aussi le corps ? Le sortir de son cadre, le dérouter, lui proposer d'autres façons de combiner ses secrets et ses clartés ?

C'est le pédagogue de l'acteur (je forme des acteurs depuis plus de vingt ans), plutôt que l'écrivain en moi, qui forge un jour l'expression "anatomie ludique". Dans un essai sur les "corps de l'acteur"[3], j'élabore une approche de jeu où l'imagination matérielle prend toute son importance au sein d'une anatomie fluide, mobile, investie par la force d'une matière précédant toute forme. Je propose des exercices basés sur la capacité de l'acteur à n'habiter que la moitié de son corps. Je nomme "hémicorps" ces nouveaux objets corporels. Ces derniers sont ensuite fragmentés en fonction des capacités de concentration de l'acteur. L'énergie imageante se ramasse, contractée comme une force enroulée sur elle-même, et s'ancre dans un endroit précis du corps d'où elle irradie, propulsée par le texte et le contexte de l'action théâtrale. L'acteur, en permettant à la matière de rêver en lui (pour reprendre les mots de Bachelard), génère une présence nourrie par l'image élémentaire choisie et par le lieu corporel où celle-ci s'est ancrée. Cette approche de "l'anatomie ludique", élaborée dans le cadre de la formation de l'acteur – je le découvrirai plus tard –, est aussi celle qui, en partie, est à l'œuvre quand j'écris. Et celle-ci devient prépondérante quand j'écris du théâtre où la parole des personnages émerge de façon organique, rythmée par la musique de la matière qui leur a donné naissance.

5) Écrire avec de la glaise

Transposer la dynamique de l'anatomie ludique dans le monde de l'écriture implique que l'auteur n'écrit pas nécessairement à partir du même lieu corporel. Autrement dit, il y a des textes-ventre, des textes-jambes, des textes-bouche, d'autres qui sont plus poitrine qu'épaules. Certains débutent dans les yeux et se terminent dans les bras, d'autres possèdent une majeure poumons et une mineure estomac. L'anatomie ludique, comme son nom l'indique, installe le jeu et du jeu (au sens d'écart) dans l'intimité du corps. L'écriture, avant de se solidifier sur la page, est fluide, voyage, s'ancre quelque part, repart, créant des réseaux subtils où la matière organique la charge d'une énergie spécifique, d'un germe, pourrait-on dire, qui ne révèlera sa signification qu'une fois remonté à la surface du texte en train de naître. Bien sûr, cette anatomie imaginaire n'est pas conscientisée. Je la soupçonne, je la devine à l'œuvre. Je la sens faire partie de mon processus de création, sans doute influencé par mon expérience d'acteur. Toutefois, il m'est arrivé d'entreprendre l'écriture d'un texte de théâtre en appliquant en pleine lumière cette approche. Je suis parti d'un bloc de glaise. Énorme. Bien luisant. Bien odorant. Seul objet dans un entrepôt vide. Je l'ai touché. Je l'ai frappé. J'ai bien senti sa consistance, sa résistance, sa texture mouillée, fraîche. J'ai bien enregistré sa couleur sombre, ses reflets, sa pesanteur, sa façon d'être dans l'espace, comme un meuble mou, entêté, recelant des secrets gris, étouffés, noyés, engloutis. Je suis retourné chez moi.

Je me suis concentré et j'ai laissé cette matière s'infiltrer, voyager. Elle s'est recréée en moi avec sa charge de sensations élémentaires, sa charge de terre et d'eau, de vase. Sans le décider, je l'ai sentie s'ancrer dans mon ventre. Je me suis mis à écrire. Un personnage s'est aussitôt mis à parler. Une langue dure, une langue matière, pleine de hachures, d'arrêts. Qui parlait ainsi ? Je ne l'ai su que plus tard, plusieurs pages plus loin. Un homme racontait la violence qu'il avait subie dans son enfance. Un homme né avec un bec-de-lièvre, rejeté par sa mère. Une mère qui l'avait obligé à massacrer sur une grosse pierre les douze chiots de Princesse, la chienne de la maison. La violence, les mots meurtris, lourds, le suicide de la mère dans la cave, les chiots massacrés, l'apparition d'une femme à tête de chien, tout cela est né de la glaise, des sensations qu'elle m'avait procurées. Jusqu'au titre de la pièce *Les mains bleues*, qui trouve son origine dans le fait que j'ai frappé de mes mains le bloc de glaise, un des premiers gestes survenus lors de mon expérimentation avec la matière. Les sensations élémentaires de cette "vase" m'ont tiré vers une enfance sombre, étouffée où la parole de Jérémie, l'homme en forme de petit garçon, était défectueuse, pleine de meurtrissures. Et, par un pur effet d'opposition, la parole de femme à tête de chien s'exprimait dans l'aisance, l'élégance, mimant pratiquement la langue d'un récit au classique "Il était une fois..." Sans l'avoir planifié, l'animalité avait émigré dans la bouche de Jérémie et l'humanité, dans la bouche (ou gueule !) de Princesse, la femme à tête de chien.

6) Des corps qui parlent

Bien sûr, l'imagination matérielle travaille dans l'ombre et ne s'annonce pas. Elle fait équipe avec l'imagination formelle, qu'elle précède souvent. On peut la muscler par des exercices de concentration, des attentions particulières, des plongées dans sa fabrique d'images élémentaires, des combinaisons ludiques avec des ancrages corporels. Tout cela d'ailleurs se passe en général sans l'accord de l'écrivain. Il n'a pas à conscientiser les processus créateurs à l'œuvre quand il écrit. La matière imageante, comme l'écrit Bachelard, est inépuisable. Le travail de la matière, au sein de l'imaginaire, peut toutefois être paresseux, ralenti par des blocages. Ou encore effréné, envahissant, empêchant une forme de s'installer. Quoi qu'il en soit, elle laisse des traces dans l'œuvre. Je pourrais ainsi m'amuser à mettre en évidence le travail de l'eau dans *The Dragonfly of Chicoutimi* (le Saguenay, la rivière aux Roches) ou dans *La hache* (la pluie qui tombe sans cesse). Mais ce qui surgit texte après texte, spectacle après spectacle, avec le plus d'insistance, est l'importance du corps, de sa matière, de sa parole. Je me suis vite aperçu que j'imagine avant tout des corps et non des êtres psychologiques cadrés par un passé, une famille, une idiosyncrasie. J'écris des histoires qui arrivent à des corps. Et c'est dans le corps que s'installe le drame : manque, défectuosité, perte… Je n'ai qu'à mentionner l'éparpillement corporel de Léo (*Le déclic du destin*), la mammectomie de Martha (*Leçon d'anatomie*), l'aphasie de Gaston (*The Dragonfly of Chicoutimi*) ou encore l'hémophilie de Chris (*Cornemuse*). C'est la matière même de la blessure qui *parle* en premier dans l'écriture en train d'apparaître. Non pas l'historique contextuel d'un événement malheureux mais, bien en amont, le tiraillement ou la révolte de la chair, le dérèglement du sang ou des organes. Cependant, ces failles très vite se métaphorisent et emportent les personnages dans un réseau de significations qui les dépassent. L'aphasie de Gaston devient ainsi une façon de parler du fait français en Amérique du Nord.

Ce n'est pas anodin si j'ai passé plusieurs années à étudier en Inde le kathakali. Cette danse-théâtre classique du Kerala met aussi en scène des corps qui parlent. L'acteur utilise un code gestuel et facial afin de livrer son personnage. Il ne parle pas. Il est recouvert d'un costume imposant, porte un maquillage extrêmement élaboré, endossant les signes d'une typologie : le héros, le méchant, l'ogre féroce... Au départ, bien sûr, tout néophyte que j'étais, je ne comprenais rien au kathakali. Je ne pouvais pas suivre le "dialogue gestuel" des protagonistes. Pourtant, j'étais fasciné par leur jeu et pouvais passer des nuits entières (un kathakali se termine avec le lever du soleil) à observer leurs secrets dansés, leurs explosions chorégraphiées. Avant le plaisir de la significance, de la reconnaissance (venu avec les années d'apprentissage), je goûtais au plaisir de la performance. J'étais sensible à la matière de leurs signes somptueux, à l'étrange éclat de leurs masques peints qui, en un clignotement, rapprochaient leur visage de la divinité ou de la bête. Ne pas savoir me permettait de voir, d'entrevoir. De deviner, derrière le lourd costume du kathakali, un corps frêle et ludique. D'aborder une vision plus orientale de l'anatomie. Une vision où un corps en cache un deuxième, ce dernier en cachant un troisième et ainsi de suite. Le corps occidental ne cache que son âme (si, toutefois, on y croit). Alors que le corps physique oriental ouvre, telle une porte, sur un corps énergétique...lui-même ouvrant sur un corps astral....Ce n'est pas ici la nomenclature des corps subtils qui m'intéresse mais le fait que le corps peut être vécu comme un écho, qu'il est possible, par ascèse, discipline, d'en découvrir un second, moins visible (pour ne pas dire invisible) mais tout aussi essentiel. Un corps en cache un autre.

7) Un corps en cache un autre

Si le corps du personnage cache celui de l'acteur en fonction de ses modes d'apparition et de disparition reliés aux esthétiques choisies, le personnage lui-même n'a pas de fond. C'est une boîte à surprises. Si l'ego est un objet qui peut se solidifier, se fragmenter mais aussi être mis entre parenthèses (ah, la pause de l'ego !), celui du personnage bénéficie, quant à lui, d'un mode existentiel étonnant ! Au fil des ans, je me suis aperçu que mes personnages avaient tendance à ressembler à des oignons. Non pas par leur capacité à stimuler les glandes lacrymales mais par le fait qu'ils sont constitués de plusieurs couches. La surface visible, la surface "parlante", peut à tout moment s'effacer et en laisser apparaître une autre. Ainsi Gaston (*The Dragonfly of Chicoutimi*) porte un masque linguistique. Il utilise un anglais où se cache le fantôme syntaxique du français. Docteur Limestone (*Le ventriloque*) s'avère être Parker. Et Gaby, qu'on croyait être le véritable ventriloque vers la fin de la pièce, (puisque tous les indices désignaient Limestone), se retrouve reléguée dans le rôle de la poupée à peine quelques minutes avant que le rideau ne tombe. Dans *Abraham Lincoln va au théâtre*, ce phénomène est poussé encore plus loin. La figure de Laurel, si on la gratte, laisse voir celle de Christian Larochelle, puis celle de Michel Ozouf. Même chose pour Hardy où on découvre successivement Léonard Brisebois et Dominic Lux. Et derrière Lincoln, qui se présente comme une statue de cire, se cache Marc Killman où se cache à son tour Sébastien Johnson. Cette structure ternaire se redouble du fait qu'une mise en abyme s'installe tout au long de la pièce, son action se reflétant dans l'évocation de l'assassinat d'Abraham Lincoln au moment où ce dernier assiste à une pièce de théâtre. Et ce n'est pas un hasard, du point de vue de l'action dramatique, si John Wilkes Booth, l'assassin du Président, est lui-même un acteur réputé de son époque. (J'y pense tout à coup : la cire, dans cette pièce, m'apparaît jouer le rôle qu'a tenu la glaise dans *Les mains bleues*. Et le mode existentiel particulier de la statue de cire me rappelle celui de la poupée du ventriloque.) L'anatomie ludique renvoie à un ego ludique. L'organique précède le psychologique. Et l'imagination matérielle se lève peut-être plus tôt que l'imagination formelle.

8) **La boîte noire**

Supposons que le personnage soit un avion. Qu'il s'écrase. Il y a alors un personnage en débris fumants, sanguinolents, sur la scène. Il n'y a pas de survivants : plus d'images, plus de gestes, plus d'intentions. Tout ce que contenait le personnage est éparpillé, déchiqueté. On veut savoir ce qui s'est passé. On s'interroge sur la cause de cette terrible catastrophe. Alors on cherche la boîte noire du personnage, cette petite boîte réputée indestructible, conçue pour résister aux chocs les plus violents. On la trouve. On se félicite. On sait qu'à l'intérieur de la boîte noire sont stockées, codées, les informations qui vont jeter de la lumière sur les derniers moments avant l'écrasement et permettre d'en déduire les causes. On l'ouvre. Et qu'est-ce qu'on trouve ?

Une autre boîte noire. On l'ouvre. Et qu'est-ce qu'on trouve ?
Eh oui, une autre, encore une autre boîte noire.

Comment pourrait-on sérieusement savoir ce qui se passe dans la tête (ou dans tout autre partie) d'un personnage ? Je termine en citant *mon* personnage d'Abraham Lincoln (en fait, c'est Sébastien Johnson !) :

> "Les répétitions du spectacle hommage viraient à la catastrophe. Je n'arrivais pas à me concentrer. Je voulais être parfait. Je voulais être à la hauteur. Tout prévoir. Tout savoir. J'avais oublié que le théâtre, même s'il se joue sous des projecteurs, exprime avant tout un mystère et produit de l'obscurité plutôt que de la lumière. Qui, dans sa vie, comprend totalement ce qu'il est, ce qu'il fait ? Personne. Alors pourquoi de pauvres personnages pourraient-ils accomplir cet exploit ?"[4]

Notes :

1- Jean-Paul Sartre, *La transcendance de l'ego*, Paris, Librairie philosophique J. Vrin, 1972.

2- Gaston Bachelard, *L'eau et les rêves,* Paris, Librairie José Corti, 1942, p. 3-4.

3- Larry Tremblay, *Le crâne des théâtres, Essais sur les corps de l'acteur*, Montréal, Leméac, 1993.

4- Larry Tremblay, *Abraham Lincoln va au théâtre*, Carnières-Morlanwelz, Lansman, 2008, p. 50.

Publications de Larry Tremblay

Théâtre

- *Le déclic du destin*, Leméac, 1989.
- *Leçon d'anatomie*, [Lanterna Magica, 1992], Lansman, 2003.
- *The Dragonfly of Chicoutimi*, Les herbes rouges, [1996] 2005.
- *Le génie de la rue Drolet*, Lansman, 1997.
- *Ogre*, suivi de *Cornemuse*, Lansman, 1997.
- *Éloge de la paresse*, dans *Les huit péchés capitaux (éloges)*, en collaboration avec sept autres auteurs, Dramaturges Éditeurs, 1997.
- *Les mains bleues*, Lansman, 1998.
- *Téléroman*, Lansman, 1999.
- *Le ventriloque*, Lansman, [2001] 2004.
- *Roller*, dans *Théâtre à lire et à jouer*, n° 4, Lansman, 2001.
- *Panda panda*, Lansman, 2004.
- *L'histoire d'un cœur*, Lansman, 2006.
- *Le problème avec moi*, Lansman, 2007.
- *Abraham Lincoln va au théâtre*, Lansman, 2008.

Autres textes

- *La place des yeux*, poésie, Éditions Trois, 1989.
- *Gare à l'aube*, poésie, Éditions du Noroît, 1992.
- *Anna à la lettre C*, récit, Les herbes rouges, 1992.
- *Le crâne des théâtres, essais sur les corps de l'acteur*, Leméac, 1993.
- *Piercing*, récit, Dazibao, 1999 (Photos : Petra Mueller).
- *Trois secondes où la Seine n'a pas coulé*, poésie, Éditions du Noroît, 2001.
- *Le mangeur de bicyclette*, roman, Leméac, 2002.
- *Poudre de kumkum*, récit, XYZ, 2002.
- *Piercing*, récits (dont *La hache*), Paris, Gallimard, 2006.

Textes de théâtre en traduction
(Le titre original est suivi de son année de création en français)

- *Le déclic du destin* (1988)

Traduit en anglais par Sheila Fischman sous le titre de *A Trick of Fate* [2001], in *Talking Bodies*, Talonbooks, Vancouver, 2001.

- *Leçon d'anatomie* (1992)

Traduit en allemand par Marie-Élisabeth Morf sous le titre de *Anatomiestunde* [1995], inédit, 1995.

Traduit en anglais par Sheila Fischman sous le titre de *Anatomy Lesson* [1995], Ubu Repertory Theater Publications, New York, 1995; aussi dans *Talking Bodies*, Talonbooks, Vancouver, 2001.

Traduit en espagnol pour le Mexique par Philippe Chéron sous le titre de *La lección de anatomía* [1996], Ediciones El Milagro, México, 2003.

Traduit en tamoul par R. Kichenamourty, K. Madanagobalane, S. Pannir Selvame et R. Venguattaramane, [2002], Samhita Publications, Madras, Chennai, Inde, 2002.

Traduit en hindi par R. Dhaka, [2008], inédit.

- *Téléroman* (1997)

Traduit en anglais (Écosse) par Katherine Mendelsohn sous le titre de *Soap* [2002], inédit.

Traduit en espagnol pour le Mexique par Boris Schoemann sous le titre de *Telenovela* [2005], inédit.

- *Ogre* (1998)

Traduit en anglais par Sheila Fischman sous le titre de *Ogre* [2001], in *Talking Bodies*, Talonbooks, Vancouver, 2001.

- *Les mains bleues* (1999)

Traduit en anglais par Don Druick sous le titre de *Blue Hands* [1999], inédit.

- *Le ventriloque* (2001)

Traduit en allemand par Almut Lindner sous le titre de *Der Bauchredner* [2004], Pegasus, Allemagne, 2004.

Traduit en anglais par Keith Turnbull sous le titre de *The Ventriloquist* [2003], Talonbooks, Vancouver, 2006.

Traduit en italien par Anna Paola Mossetto sous le titre de *Il ventriloquo* [2003], L'Harmattan, Italia, 2003.

Traduit en espagnol pour le Mexique par Boris Schoemann sous le titre de *El ventrílocuo* [2003], inédit.

Traduit en roumain par Petre Bokor sous le titre de *Ventrilocul* [2006], Brumar, Timisoara, 2006.

Traduit en russe par Larissa Ovadis sous le titre de *Tchrevovestchatel* [2006] (in *Sovrémiennaya Canadskaya Dramaturguiya / Dramaturgie canadienne contemporaine*, Maison d'édition de la Confédération internationale des Unions de théâtre, Moscou, 2007)

Traduit en lithuanien par Judita Zareckaité et Vytautas Kaniusonis sous le titre de *Pilvakalbys* [2007], inédit.

Traduit en hongrois par Robert Bognar sous le titre de *A hasbeszelo* [2006], in *Történet a hetediken - Mai kanadai drámák* (sous la direction de Laszlo Upor), Európa Könyvkiadó, Budapest, 2007.

- **Panda Panda (2005)**

Traduit en anglais par Leanna Brodie sous le titre de *Panda Panda* [2008], inédit.

- *La hache* (2006)

Traduit en italien par Francesca Moccagatta sous le titre de *L'ascia* [2006] in *CanadianTheatre/Théâtre canadien*, Ubulibri, Milan, 2007.

Traduit en grec par Evangelia Andritsanou [2008], inédit.

- **Abraham Lincoln va au théâtre (2008)**

Traduit en anglais par Chantal Bilodeau sous le titre de *Abraham Lincoln Goes to the Theatre* [2008], inédit.

Autre texte en traduction

- Le mangeur de bicyclette

Traduit en anglais par Sheila Fischman sous le titre de *The Bicycle Eater*, Talonbooks, Vancouver, 2005.

Théâtrographie

(par ordre chronologique de création)

Productions scéniques

- **Les mille grues**

Laboratoire Gestuel (LAG), Studio Alfred-Laliberté, Montréal, mise en scène de Larry Tremblay, 1988 (au Brésil, 1989).

- **Le déclic du destin**

Laboratoire Gestuel (LAG), Théâtre de l'Eskabel, Montréal, mise en scène de Larry Tremblay, 1988 et Salle Fred-Barry, 1989 (Brésil, Argentine, 1989, 1990).

Compagnie du Zouave, Théâtre de l'Atalante, Paris, mise en scène de Michel Cochet, mars 1999 (suivi de **Les mains bleues**).

Bafduska Théâtre, Centre culturel canadien, Paris, mise en scène de Benoit Gautier, septembre 2006.

Théâtre Omnibus, Espace Libre, Montréal, mise en scène de Francine Alepin, novembre 2007 (suivi de **Le problème avec moi**).

- **Chou blues**

Laboratoire gestuel (LAG), Studio Claude-Gauvreau, Montréal, mise en scène de Larry Tremblay, juin 1989.

- **Leçon d'anatomie**

Théâtre d'Aujourd'hui, Montréal, mise en scène de René Richard Cyr, septembre 1992.

Anatomy Lesson (traduction anglaise de Sheila Fischman), Vancouver, mise en scène de Neil Cadger, juillet 1997.

La lección de anatomía (traduction espagnole de Philippe Chéron), Théâtre El Granero, Mexico, mise en scène de David Olguin, novembre 1998.

Anatomy Lesson (traduction anglaise de Sheila Fischman), Pink Inc, Vancouver, mise en scène de Del Surjik, octobre 1999.

Anatomy Lesson (traduction anglaise de Sheila Fischman), Université de Calgary, Calgary, mise en scène de Javier Vilalta, novembre 2001.

École nationale de théâtre du Canada (programme de mise en scène), Montréal, mise en scène d'Anne-Marie White, novembre 2002.

Théâtre de la Bordée, Québec, mise en scène de Marie Gignac, novembre 2005.

La lección de anatomía (traduction espagnole pour le Mexique de Philippe Chéron), La Nada Teatro, Guadalajara, mise en scène de Miguel Lugo, novembre 2005.

Théâtre Pixel, Paris, mise en scène d'Angélique Deheunyck, octobre 2007.

Leçon d'anatomie (traduction en hindi de R. Dhaka) Théâtre Adi et Alliance Française de Delhi, mise en scène de S. Somasundaram, Delhi, mars 2008.

Le Collectif nonumoï, mise en scène de Delphine Salkin, Atelier René Loyon, Paris, juin 2008.

- *The Dragonfly of Chicoutimi*

Théâtre d'Aujourd'hui, Festival de Théâtre des Amériques, Montréal, mise en scène de Larry Tremblay, 1995-1996-1997 (1997, Rome, International Theatre de Rome).

Odonata, Solar Stage et Factory Theatre, Factory Theatre, Toronto, mise en scène de Kevin Orr, janvier 2002.

La libellula di Chicoutimi (traduction italienne de Marzia Leoni), Teatro Argot, Rome, mise en scène de Maurizio Panici, novembre 2002.

- *Le génie de la rue Drolet*

École nationale de théâtre du Canada, Montréal, mise en scène de Charles Boivin, 1996.

Théâtre de la Manufacture, La Licorne, Montréal, mise en scène de Larry Tremblay, janvier 1997.

- *Téléroman*

Département de théâtre de l'Université du Québec à Montréal, Montréal, mise en scène de Larry Tremblay, novembre 1997.

Soap (traduction anglaise de Katherine Mendelsohn), Tron Theatre, Glasgow, mise en scène de John Mitchel, février 2003.

Café-théâtre Les Oiseaux de Passage, Compagnie Les Fonds de Tiroirs, Québec, mise en scène de Frédéric Dubois, juillet 2003, repris au Théâtre de La Licorne, Montréal, en avril 2005.

Telenovela (traduction espagnole de Boris Schoemann), Los Endebles, Teatro El Galeon, Mexico, mise en scène de Boris Schoemann, juin 2007.

- *Éloge de la paresse*

Théâtre Petit à Petit, dans le cadre du spectacle *Les huit péchés capitaux*, Espace Go, Montréal, mise en scène de René Richard Cyr et Claude Poissant, novembre 1997.

- *Ogre*

Théâtre d'Aujourd'hui, Montréal, mise en scène de Martine Beaulne, janvier 1998 (Festival des Francophonies théâtrales, Bruxelles, avril 1998).

École nationale de théâtre du Canada (programme de mise en scène), Montréal, mise en scène de Geneviève Lacharité-Blais, décembre 2002.

Productions Éolie Songe, Tourcoing, Lille, mise en scène de Thierry Poquet, novembre et décembre 2005.

- *Les mains bleues*

Compagnie du Zouave, Théâtre de l'Atalante, Paris, mise en scène de Michel Cochet, mars 1999 (précédé de **Le déclic du destin**).

Théâtre d'Aujourd'hui, Montréal, mise en scène de Martin Faucher, mars 1999.

Compagnie d'Ores et Déjà, Théâtre de Charenton, Paris, mise en scène de Sylvain Creuzevault, avril 2004.

Café Chocolat (dans le cadre d'une activité de synthèse –UQÀC), Chicoutimi, mise en scène de Josée Laporte, février 2006.

Productions Dixit Materia, Bruay-la-Bruissière, Lille, mise en scène de Nicolas Ory, février et mars 2006.

- **L'œil de Rosinna** (d'après la nouvelle *Rosinna*)

Théâtre de l'Incliné, Théâtre d'Aujourd'hui, mise en scène de José Babin, mai 2000.

- *Le ventriloque*

Théâtre International de Langue Française (TILF), Paris, mise en scène de Gabriel Garran, mars 2001.

Nouveau Théâtre du Méridien, Bruxelles, mise en scène de Miriam Youssef, octobre 2001.

Théâtre Petit à Petit, Espace GO, Montréal, mise en scène de Claude Poissant, novembre 2001.

Il ventriloquo (traduction italienne de Anna Paola Mosseto), Torino Spettacoli, Teatro Alfieri, Turin, mise en scène de Guido Ruffa, février 2004.

El ventrilocuo (traduction espagnole de Boris Schoemann), UNAM, Teatro Santa Catarina, Mexico, mise en scène de Boris Schoemann, novembre 2005.

The Ventriloquist (traduction anglaise de Keith Turnbull), Factory Theatre, Toronto, mise en scène de Keith Turnbull, avril 2006.

The Ventriloquist (traduction anglaise de Keith Turnbull), Studio Léonard-Beaulne, Université d'Ottawa, Evolution Theatre, mise en scène de Christopher Bedford, avril 2008.

- *Cornemuse*

Théâtre d'Aujourd'hui, Montréal, mise en scène d'Éric Jean, février 2003.

- *Guitare tatou*

École supérieure de théâtre de l'Université du Québec à Montréal, mise en scène de Philippe Soldevila, décembre 2003.

- *Le problème avec moi*

Théâtre du Trillium à La Nouvelle Scène d'Ottawa, trois mises en scène différentes de Magali Lemèle, Michel Ouellette et Yves Turbide, mai 2004.

Bafduska Théâtre, Centre culturel canadien, Paris, mise en scène de Benoit Gautier, novembre 2007 (précédé de *Le déclic du destin*).

Théâtre Omnibus, Espace Libre, Montréal, mise en scène de Francine Alepin, novembre 2007 (précédé de *Le déclic du destin*).

- *Panda Panda*

Théâtre en l'Air, Maison Théâtre, Montréal, mise en scène de Robert Drouin, février 2005 (suivi d'une tournée à Québec et à Ottawa).

Le théâtre 100 du Département de l'université d'Ottawa, mise en scène de Danielle Le Saux-Farmer, Ottawa, avril 2008.

- *A Chair in Love*

Le Chien qui chante et Taliesin Art Center of Swansea, Swansea, mise en scène de Keith Turnbull, octobre 2005 (suivi d'une tournée aux Pays de Galles et en Irlande et d'une série de représentations à l'Espace GO, Montréal, en juin 2006).

- *Trois secondes où la Seine n'a pas coulé*

Théâtre Microclimat, Théâtre d'Aujourd'hui, Salle Jean-Claude Germain, Montréal, mise en scène de Marie-France Goulet, janvier 2006.

- *L'histoire d'un cœur*

Théâtre de l'Incliné, Théâtre Périscope, Québec, mise en scène de José Babin, février 2006 et studio du Monument-National, Montréal en mars 2006.

- *La hache*

Théâtre de Quat'sous, Montréal, mise en scène de Larry Tremblay, avril 2006.

- *Abraham Lincoln va au théâtre*

Théâtre Pàp, Espace Go, Montréal, mise en scène de Claude Poissant, avril 2008.

Productions radiophoniques

- *Leçon d'anatomie*, Radio Pays (France), 2007.

- *The Dragonfly of Chicoutimi*, Radio-Canada, 2004.

- *La femme aux peupliers*, Radio-Canada, 1999.

- *Les mains bleues*, France-Culture, 1998.

- *Tibullus*, Radio-Canada, 1997.

- *Ogre*, France-Culture, 1997.

- *Le génie de la rue Drolet*, Radio-France-International, 1995.

- *Le génie de la rue Drolet*, Radio-Canada, 1994.

Notices des auteurs
et metteurs en scène

intervenant dans cet ouvrage

Marion BOUDIER

Doctorante en études théâtrales, sous la direction de Jean-Loup Rivière, Marion Boudier enseigne la dramaturgie et l'histoire du théâtre dans le cadre de son monitorat à l'Ecole Normale Supérieure Lettres et Sciences Humaines (Lyon). Elle y a fondé le laboratoire junior de recherche "*Agôn* – Dramaturgies des arts de la scène". Agrégée de lettres modernes, elle a travaillé sur la comédie du XVIIIe siècle et le procédé du théâtre dans le théâtre avant de concentrer ses recherches sur la dramaturgie contemporaine et le réalisme. Elle collabore aux revues *Cahiers de théâtre Jeu, Spirale, Rappels* et *Passage d'encres*. Depuis 2005, elle est conseillère dramaturgique de la Compagnie Nagananda.

Gilbert DAVID

Professeur agrégé au Département de littératures de langue française de l'Université de Montréal, Gilbert David consacre son enseignement et ses recherches à la dramaturgie québécoise, ainsi qu'à l'histoire et à l'esthétique théâtrales du XXe siècle, tant au Québec qu'en Occident. Il est membre régulier du Centre de recherches interuniversitaire sur la littérature et la culture québécoises (CRILCQ, UdeM) et chercheur au sein du groupe de recherche sur "L'histoire de la vie culturelle au Québec". Ses publications les plus récentes comprennent la réédition, revue et augmentée, de l'ouvrage collectif *Le Monde de Michel Tremblay* [1983], (avec Pierre Lavoie, Éditions Lansman, 2003 et 2005) et *Théâtres québécois et canadiens-français au XXe siècle* (Presses de l'Université du Québec, 2003), un ouvrage collectif qu'il a codirigé avec Hélène Beauchamp. Depuis 2005, il est le directeur de la publication annuelle *Rappels*, consacrée à la recension de l'activité théâtrale au Québec (Éditions Nota bene).

Thomas DOMMANGE

Thomas Dommange est depuis trois ans directeur de programme au Collège international de philosophie (Paris) où il anime un séminaire sur la notion de "scène". Il est également chargé de cours au doctorat en Études et pratiques des arts à l'UQÀM. Agrégé de philosophie et ancien Pensionnaire de la Fondation Thiers, il est titulaire d'un doctorat de philosophie avec une thèse intitulée *Les paradoxes métaphysiques de la* Passion selon saint Matthieu *de J.-S. Bach*, dirigée par Étienne Balibar à l'Université de Paris X-Nanterre. Spécialisé dans le domaine de l'esthétique, Thomas Dommange a effectué en 2006-2007 un postdoctorat au CRI (Centre de recherche sur l'intermédialité) de l'Université de Montréal, où il travaille sur la notion "d'espace musical" et ses implications dans le champ de l'intermédialité.

Nicolas DOUTEY

Nicolas Doutey, agrégé de lettres modernes, enseigne le théâtre et la littérature dans le cadre de son monitorat à l'Université de Paris IV-Sorbonne. Doctorant sous la direction de Denis Guénoun, ses recherches portent sur les textes dramatiques de Samuel Beckett et Jon Fosse, au croisement du théâtre et de la philosophie, et vise à proposer une détermination conceptuelle de la scène dans les pratiques théâtrales (scéniques et textuelles) contemporaines. Chargé de cours en histoire du théâtre à l'Université de Montréal à l'hiver 2007, il a animé avec Thomas Dommange un séminaire du Collège International de Philosophie sur la question de la scène à l'UQÀM en 2006-2007, et a collaboré aux revues *Critique, Rappels* et *Passages d'encre*. Rédacteur en chef de la revue *[avant-poste]*, il a également écrit et mis en scène plusieurs pièces.

Hervé GUAY

Journaliste culturel au quotidien *Le Devoir* depuis 1989, Hervé Guay enseigne le théâtre et la littérature à l'Université du Québec à Montréal et à l'Université de Montréal. Détenteur d'un doctorat en Études et pratiques des arts (UQÀM), sa thèse qui traite des discours sur le théâtre dans la presse hebdomadaire montréalaise de langue française au début du XXe siècle paraîtra sous peu aux Éditions Fides. Il collabore à des périodiques culturels comme *Jeu* et *Spirale*, de même qu'à plusieurs revues savantes dont *L'Annuaire Théâtral*, *Tangence* et *Théâtre/Public*. Il a aussi supervisé la publication de l'ouvrage *Franchir le mur/Breaking the Language Barrier*, actes du XXe Congrès de l'Association internationale des critiques de théâtre, qui s'est déroulé à Montréal en 2001. Il est également l'un des auteurs de l'ouvrage collectif *Théâtre québécois 1975-1995*, paru en 2001. Ses recherches actuelles portent sur la dramaturgie et l'histoire du théâtre au Québec.

Hélène JACQUES

Doctorante à l'Université Laval, Hélène Jacques prépare une thèse portant sur le jeu de l'acteur et la profération du texte dans les mises en scène de Denis Marleau. Elle a récemment dirigé, avec Karim Larose et Sylvano Santini, l'ouvrage collectif *Sens communs. Expérience et transmission dans la littérature québécoise* (Nota bene, 2007). Contribuant à diverses revues théâtrales et interdisciplinaires (*Intermédialités*, *Recherches théâtrales au Canada*), elle fait partie des comités de rédaction des *Cahiers de théâtre Jeu* et de *L'Annuaire théâtral*. Elle enseigne également la littérature au Collège Lionel-Groulx et la dramaturgie contemporaine à l'École nationale de théâtre du Canada.

Yves JUBINVILLE

Yves Jubinville est professeur à l'École supérieure de théâtre (ÉST) de l'UQÀM depuis 1999, où il enseigne la dramaturgie et l'histoire du théâtre, et membre du Centre de recherches interuniversitaire sur la littérature et la culture québécoises (CRILCQ — Antenne UQÀM). Ses intérêts de recherche portent sur l'historiographie théâtrale au Québec et la génétique du texte de théâtre. Il mène présentement deux projets en ce sens. Le premier porte sur le répertoire international joué au Québec entre 1975 et 2000 (FQRSC, 2005-2008); le second doit mener à l'édition critique et génétique des *Belles-sœurs* de Michel Tremblay (CRSH, 2006-2009) pour la Bibliothèque du Nouveau Monde (P.U.M., Fides). Yves Jubinville est actuellement responsable du Centre de recherches théâtrales de l'ÉST et membre du conseil d'administration du Centre des auteurs dramatiques. Auteur de plusieurs articles dans des revues et des ouvrages collectifs, il signe notamment la présentation d'un dossier critique accompagnant la réédition de *The Dragonfly of Chicoutimi* (Les herbes rouges, 2005) de Larry Tremblay.

Paul LEFEBVRE

Paul Lefebvre est traducteur, metteur en scène et professeur de théâtre. De 2001 à 2007, il a été l'adjoint artistique de Denis Marleau au Théâtre français du Centre national des Arts à Ottawa où, depuis janvier 2008, il occupe la fonction d'Attaché artistique. Il y dirige aussi depuis 2003 le Festival Zones Théâtrales. Au cours des années 1990, il a été le directeur littéraire du Théâtre Denise-Pelletier à Montréal (une compagnie de répertoire qui est tournée vers le public étudiant), et codirecteur artistique du Théâtre Teesri Duniya (dont le mandat est d'explorer par le théâtre les rapports entre les communautés immigrantes et la société d'accueil). Parmi sa quinzaine de traductions, signalons *Danser à Lughnasa* de Brian Friel, *Unity, mil neuf cent dix-huit* de Kevin Kerr, *(Oncle) Vania* d'Howard Barker, *La Baronne et la truie* de Michael Mackenzie et *Un tramway nommé Désir* de Tennessee Williams. Mentionnons aussi parmi ses mises en scène : *Le sang de Mishi* de Franz-Xaver Kroetz, *La déposition* d'Hélène Pednault, *Le lit de mort* d'Yvan Bienvenue et le *Journal d'un fou* de Nicolas Gogol. Il a aussi collaboré à maints périodiques spécialisés en théâtre et il a enseigné dans plusieurs institutions dont l'École nationale de théâtre, l'Université de Montréal et l'UQÀM.

Catherine MAVRIKAKIS

Catherine Mavrikakis enseigne la littérature à l'Université de Montréal. Elle a publié trois romans : *Deuils cannibales et mélancoliques* (Trois, 2000), *Ça va aller* (Leméac, 2002), *Fleurs de crachat* (Leméac, 2005). Elle a écrit un essai-fiction sur la maternité avec Martine Delvaux : *Ventriloquies* (Leméac, 2003). En 2005, elle a publié un essai : *Condamner à mort. Les meurtres et la loi à l'écran* (Presses de l'Université de Montréal). En ce moment, elle finit l'écriture d'un oratorio intitulé *Omaha Beach*.

Stéphanie NUTTING

Stéphanie Nutting est professeure agrégée au Département d'études françaises à l'Université de Guelph (Ontario), où elle donne des cours de langue et de littérature depuis 1996. Ses principales recherches portent sur les dramaturgies canadienne-française et québécoise. Auteure d'une monographie intitulée *Le tragique dans le théâtre québécois et canadien-français, 1950-1989* (Edewin Mellen Press), elle a collaboré à diverses revues dont *Voix et images*, *The French Review*, *Spirale* et *Liaison*. Elle publiait récemment *Jean Marc Dalpé. Ouvrier d'un dire* (Prise de parole, 2007), un ouvrage collectif qu'elle a codirigé avec François Paré. Elle a été présidente de l'Association des professeur(e)s de français des universités et collèges canadiens.

Claude POISSANT

Claude Poissant est codirecteur artistique et l'un des fondateurs du Théâtre PàP (Petit à Petit), une compagnie vouée au théâtre contemporain qui présente en moyenne deux créations par année ainsi qu'une série de mises en lecture/laboratoires de textes actuels. Parmi ses mises en scène les plus récentes, rappelons *Je voudrais me déposer la tête*, transposition du roman de Jonathan Harnois, *Le traitement* de Martin Crimp, présenté en coproduction avec le Festival de Théâtre des Amériques et récipiendaire dernièrement de quatre Masques, dont celui de la « Production Montréal » et celui de la « Mise en scène », *Unity, mil neuf cent dix-huit* de Kevin Kerr, un spectacle créé au Théâtre PàP en 2003 et repris en tournée en 2005-2006, notamment au Théâtre Denise-Pelletier, et *Le ventriloque* de Larry Tremblay – gagnant du Masque de la "production Montréal". À la rentrée 2006, il a signé pour le Théâtre de la Banquette arrière, la mise en scène de *La fête sauvage* de Mathieu Gosselin, présentée au Théâtre La Licorne. Claude Poissant a mis en scène la nouvelle pièce de Larry Tremblay, *Abraham Lincoln va au théâtre*, une production du Théâtre PàP qui a été créée à l'Espace GO en avril 2008 à Montréal.

Lucie ROBERT

Lucie Robert est membre du Centre de recherches interuniversitaire sur la littérature et la culture québécoises (antenne UQÀM), où elle dirige un projet de recherche portant sur l'Histoire de la vie culturelle au Québec depuis la fin du XIXe siècle jusqu'à la Deuxième guerre mondiale". Elle mène depuis longtemps des recherches sur l'histoire du théâtre au Québec, en particulier sur l'histoire et le statut du texte dramatique. Ses recherches historiques sur les textes plus anciens ont été menées dans le cadre des travaux menant à la réalisation des divers tomes du *Dictionnaire des œuvres littéraires du Québec*, puis de *La vie littéraire au Québec*. Sa lecture du corpus dramatique contemporain trouve son expression dans la chronique « Dramaturgie » qu'elle signe à la revue *Voix et images* depuis vingt ans.

Alain-Michel ROCHELEAU

Professeur au Département d'études françaises, hispaniques et italiennes de l'Université de Colombie-Britannique, Alain-Michel Rocheleau enseigne le théâtre, le cinéma et l'art dramatique. Il a publié plusieurs articles portant sur la dramaturgie québécoise, sur le théâtre de recherche et sur la formation de l'acteur, en particulier, dans des ouvrages encyclopédiques et collectifs, des Actes de colloque et des revues spécialisées comme *Voix & Images*, *Oeuvres et Critiques* et *Yale French Studies*. Auteur de *Bertolt Brecht et la Nouvelle communication* (2001), il prépare actuellement un ouvrage sur l'homosexualité dans l'oeuvre de Michel Tremblay. Il a été directeur adjoint de la revue *Canadian Literature*, de 1997 à 2003, et membre du conseil scientifique de la revue L'*Annuaire théâtral*, de 1997 à 2007.

Jean-Pierre RYNGAERT

Jean-Pierre Ryngaert est professeur en Etudes théâtrales à l'Université de Paris III-Sorbonne nouvelle et animateur du groupe de recherche "Poétique du drame moderne et contemporain" avec J.-P. Sarrazac. Parmi ses livres mentionnons *Introduction à l'analyse du théâtre* (Bordas, puis Armand Colin) et *Lire le théâtre contemporain*, (Dunod, 1993 puis Armand Colin). Il a publié dernièrement *Nouveaux territoires du dialogue* (direction, Actes Sud-Papiers, 2005) et *Le personnage théâtral contemporain* (avec J. Sermon, Théâtrales, 2006). Jean-Pierre Ryngaert est également metteur en scène (récemment, *Celle-là* de Daniel Danis, en Suisse).

Boris SCHOEMANN

Né en 1964 à Paris, Boris Schoemann réside au Mexique depuis fin 1989 où il est metteur en scène, directeur artistique, professeur de théâtre, acteur et traducteur. En 17 ans, il a monté une cinquantaine de spectacles dans diverses universités et compagnies professionnelles mexicaines ainsi qu'avec ses propres compagnies. Depuis 1996, il s'est spécialisé dans la diffusion du théâtre contemporain, traduisant de nombreuses pièces européennes et canadiennes en espagnol et des pièces mexicaines en français. Il est également un spécialiste en enseignement de la lecture-spectacle. En collaboration avec les Éditions El Milagro, il a publié une anthologie de théâtre français contemporain, une autre du théâtre de Gao Xingjian, une compilation de trois pièces de Michel Marc Bouchard, et quatre pièces québécoises pour jeunes publics. Depuis avril 2001, Boris Schoemann est directeur artistique du Théâtre La Capilla à Mexico (prix "Salvador Novo" comme meilleur théâtre indépendant), et de la compagnie Los Endebles (prix de la meilleure mise en scène 2006 pour

Le ventriloque), spécialisés dans la diffusion et la création de théâtre mexicain, français et québécois contemporains. Depuis mars 2002, il organise tous les ans, en coproduction avec le Centro Cultural Helénico, la Semaine internationale de la dramaturgie contemporaine. Depuis 2005, il est codirecteur artistique de la compagnie professionnelle de théâtre de l'Université de Veracruz.

Keith TURNBULL

Toute la carrière de Keith Turnbull comme metteur en scène, dramaturge et producteur est traversée par son engagement envers les oeuvres nouvelles et contemporaines dans le domaine du théâtre et de l'opéra. Keith Turnbull a été le directeur artistique du Manitoba Theatre Centre, du Neptune Theatre Second Stage et du Theatre Arts au Banff Centre for the Arts. Dans les années 70, Keith Turnbull fonde la troupe de théâtre The NDWT Co. avec laquelle il démarre une compagnie de théâtre des Premières Nations dont proviennent plusieurs des plus remarquables artistes autochtones du Canada. Il a enseigné dans plusieurs écoles de théâtre au Canada. Keith Turnbull a dirigé plus de cent pièces de théâtre produites dans des théâtres canadiens et des opéras avec des compagnies canadiennes, américaines, britanniques et suédoises. Il a récemment produit et mis en scène un nouvel opéra, *A Chair in Love*, de John Metcalf et Larry Tremblay, et a mis en scène pour le Factory Theatre de Toronto sa traduction du *Ventriloque* de Larry Tremblay, publiée chez Talonbooks.

Lansman Editeur

63-65, rue Royale B-7141 Carnières-Morlanwelz (Belgique)
Téléphone (32-64) 23 78 40 - Fax/Télécopie (32-64) 23 78 49
Courriel : info@lansman.org
www.lansman.org

Le corps déjoué
est le 665ᵉ ouvrage
publié par Lansman Editeur

Lansman Editeur bénéficie du soutien
de la Communauté Française de Belgique
(Direction du Livre et des Lettres)
et de l'Asbl Promotion Théâtre

Composé par Lansman Editeur
Imprimé en Belgique
Dépôt légal : mars 2009